WILLIAMS-SONOMA

cocinando para mis amigos

AUTORES

alison attenborough y jamie kimm

FOTÓGRAFA

petrina tinslay

contenido

En nuestra línea de trabajo, tenemos tantas ideas sobre alimentos circulando por el cerebro que no podemos usarlas todas. Debido a que los dos somos chefs y estilistas de alimentos, y a los dos nos encanta lo que hacemos, en realidad nunca dejamos de pensar en comida ni de hablar de ella. Casi nos podrían llamar obsesivos. Cada comida que hacemos en casa o en algún restaurante, cada revista de cocina que hojeamos, cada vez que vamos al mercado o al carnicero o a otra zona del estado o al extranjero, es una oportunidad más para encontrar algún nuevo truco de nuestro oficio. Podría ser una nueva manera de presentar alguno de nuestros platillos favoritos o una nueva versión para algún sabor interesante o incluso un ingrediente nuevo que experimentar, lo cual se convierte en la semilla de una idea que no dejamos de improvisar. Siempre estamos en busca de nuevas inspiraciones.

¿Qué nos gusta cocinar en casa para los amigos? Y lo más importante, ¿por qué nuestros amigos siguen regresando a casa? Bueno, pues están los platillos que hemos estado perfeccionando por años, ya sea para algún cliente o para nosotros, que nunca dejan de impresionar aunque no son costosos ni de elaboración complicada, como un pescado empapelado o un filete a la parrilla. Luego, están los platillos que simplemente nos encantan y queremos compartir con otros, como los pestos y las vinagretas de Jamie, y las cremas de sabores y sopa de pollo escalfado de Alison. Nos gusta encontrar la manera en que cocinar para los amigos sea una experiencia especial.

La clave para lograr una comida o cena casual divertida es preparar platillos que nos encanten, hacer todo lo que se pueda por adelantado y agregar un poco de imaginación a la presentación. Si empezamos con ingredientes frescos de la estación, no nos podemos equivocar. A veces somos espontáneos y una tarde decidimos invitar amigos a cenar pizza hecha en casa esa misma noche. Todos ayudan a extender la masa y añadir diferentes ingredientes (nuestros favoritos son la arúgula y el prosciutto), luego servimos las pizzas sobre tablas para rebanar y el vino en vasos, en la mesa de la cocina.

En estas páginas posiblemente se encuentre con algunos ingredientes de los que nunca ha oído hablar, y le recomendamos que los busque. Hemos descubierto que un pequeño esfuerzo de más trae gratas recompensas, y vale la pena hacerlo para elevar nuestras comidas o cenas a un nivel mucho más especial para todos. Después de todo, su comida o cena y el gozo de los amigos están en juego.

Alison & Jamie

nuestra propuesta para cocinar para los amigos

Nos gusta tomar alguno de nuestros ingredientes o platillos favoritos y hacer de él algo especial. En "Cuatro Modos de Preparar" presentamos recetas que consideramos tan fabulosas, de una u otra forma, que no pudimos limitarnos a ofrecerles sólo una versión. Algunas de las colecciones de "Cuatro Modos de Preparar" son platillos que, según hemos observado a lo largo de los años, no dejan de encantar al público y créanos que hemos trabajado para un público bastante exigente. Otras son recetas que preparamos todo el tiempo y con frecuencia recurrimos a ellas cuando tenemos compañía. Si quiere hacer una fiesta pero no tiene mucho tiempo, es importante empezar con una estructura ya conocida y luego variar los sabores y el estilo según la ocasión. Cuando cocinamos para los amigos, generalmente, tratamos de mantener las cosas sencillas pero nunca aburridas.

Además, siempre nos fijamos en las estaciones. No sólo saben mejor nuestros platillos cuando los ingredientes han llegado a la madurez ideal en su estación natural y no han dado la vuelta al mundo para finalmente dejarse caer, exhaustos, en su mesa de comedor, sino que además ayudan a convertir cada fiesta en una celebración del momento, de estas personas reuniéndose en este momento para disfrutar de la compañía de sus amigos. Estar en contacto con las estaciones le aporta un muy agradable sentido de virtud y de confort a lo que se vaya a servir. Cuando los invitados llegan con la punta de la nariz roja y sacudiéndose la nieve de las botas, no quieren un martini ni una pasta ligera. Quieren un ponche caliente y un pastel de carne con papas que les dé fuerzas para el eventual regreso a casa. Para ayudarle a armar una comida para cualquier temporada del año, proponemos ocho menús diferentes para cada estación, una mezcla de meriendas casuales, comidas o cenas elegantes y cocteles (páginas 240 y 246). Nos encanta mezclar y combinar platillos y le invitamos a que haga lo mismo. Intente servir una variación de alguna guarnición con la botana, o una ensalada como plato principal. También puede duplicar alguna receta para servir a un grupo más grande.

Ya que también somos estilistas de alimentos, cuando compartimos nuestros platillos con amigos, nos gusta que se vean un tanto glamorosos. Para lograrlo, quizás usemos arreglos o adornos poco comunes y presentemos los platillos en platones o cristalería muy especiales. Les da a nuestros invitados una idea encantadora de lo que pueden hacer en casa. Algunas recetas del libro se prestaban a tantas posibilidades de presentación que no pudimos decidirnos por una sola. Así que les presentamos tres o cuatro ideas y se las mostramos en fotografía, sabiendo que con frecuencia la imagen cuenta la historia mejor que las palabras.

Todas estas variedades, selecciones y opciones son nuestra manera de decir, por favor, siéntanse con la libertad de jugar con su comida. Juegue con los ingredientes, con los sabores y con la forma en que dispone la comida sobre los platones. Y no olviden invitar a los amigos a jugar con ustedes, porque un buen grupo de amigos queridos siempre alegra la hora de la comida.

bebidas

....

La clave para lograr una divertida fiesta casual es su comienzo.
Aún si tiene que cocinar a último momento, dé una efusiva
bienvenida y un buen coctel a sus invitados al llegar y todos
estarán felices.

La primera vez que probamos esta versión de caipiriña de maracuyá fresca fue en un viaje a Brasil, país originario tanto del maracuyá como de las caipiriñas, las cuales no pudimos parar de ingerir.

caipiriña de maracuyá

. . . .

ELIGIENDO LA BEBIDA ALCOHÓLICA

Si tiene problemas para conseguir la *cachaça*, un licor brasileño hecho de caña de azúcar, puede sustituir por vodka para preparar una bebida tan deliciosa como ila caiporoska!

En una superficie de trabajo presione con firmeza y ruede el limón con la palma de su mano para desprender los aceites esenciales de la piel y su jugo. Corte el limón en 8 rebanadas y corte cada rebanada a la mitad. Coloque las piezas en un vaso old fashioned. Espolvoree con azúcar y presione con un machacador. Usando una cuchara retire la pulpa de las mitades de maracuyá y ponga en el vaso con limón, añada la caçhaca y mueva para mezclar. Agregue hielo y sirva de inmediato.

limón 1

azúcar súper fina 2

maracuyá 1, partido a la mitad

cachaça ¼ taza (60 ml/2 fl oz)

hielo

rinde 1 porción

jengibre y más jengibre

. . . .

ACOMPAÑE CON

A nosotros nos gusta servir este brebaje picante antes de un menú asiático. Si no encuentra el vino de jengibre (es muy inglés), utilice cerveza de jengibre. Si encuentra el vino añada de vez en cuando un chorrito en su limonada (o en su whiskey).

Exprima la mitad de limón en un vaso mezclador. Agregue el jengibre fresco y machaque. Añada el vino de jengibre y el hielo, tape y agite hasta integrar por completo. Vierta en un vaso old fashioned y cubra con la cerveza de jengibre. Decore con el jengibre cristalizado y el tallo de lemongrass (si lo usa) y sirva de inmediato.

limón ½

jengibre fresco 1 trozo de 1 ¼ cm (½-in)

vino de jengibre 6 cucharadas (90 ml/3 fl oz)

hielo

cerveza de jengibre 6 cucharadas (90 ml/3 fl oz)

jengibre cristalizado para decorar

lemongrass 1 tallo, limpio, para decorar (opcional)

rinde 1 porción

En un viaje a Portugal tuvimos la gran fortuna de viajar a los viñedos de Taylor Fladgate. Éste era el emblemático coctel de la bodega, llamado "Chip and Tonic" ya que lleva su clásico oporto blanco Chip Dry. Es muy ligero y refrescante, particularmente en verano.

oporto blanco y agua quina

hielo

oporto blanco ¼ taza (60 ml/2 fl oz)

agua quina 6 cucharadas (90 ml/3 fl oz)

rebanadas de limón verde o amarillo para decorar

rinde 1 porción

Llene un vaso old fashioned con hielo. Añada el oporto blanco, cubra con agua quina y mezcle. Decore con una rebanada de limón y sirva de inmediato. Sirva con un agitador si lo desea.

ACOMPAÑE CON

Pruebe con una variedad de botanas ibéricas como los *boquerones* (anchoas blancas marinadas), almendras marcona y cebollitas *cipolline* (cebollitas pequeñas y planas) e hinojo.

lillet de limón

menta fresca 1 rama

jugo de limón amarillo fresco 1 cucharada

hielo

Lillet blanc 3 cucharadas (45 ml/1½ fl oz)

ginebra 3 cucharadas (45 ml/3 fl oz)

agua mineral 1 chorrito

cascarita de limón para decorar

rinde 1 porción

En un vaso mezclador para cocteles presione suavemente la menta con el jugo de limón. Llene la mitad del vaso mezclador con el hielo, añada el Lillet y la ginebra. Tape y agite hasta integrar por completo. Cuele sobre un vaso recto o un vaso old fashioned lleno de hielo y salpique con un chorrito de agua mineral. Decore con una cascarita de limón y sirva de inmediato

SALPIQUE

Para dar a su servicio de aperitivos un toque de estilo, permita a sus invitados salpicar sus bebidas con agua mineral colocada en botellas pequeñas de cristal como si estuvieran haciendo un *citron pressé* en un café parisino o desde un encantador sifón antiguo.

sandía y limón

. . . .

sandía sin semillas
8 tazas en trozos, más
6 u 8 rebanadas para
decorar

limón fresco 1 taza
de jugo más rebanadas
delgadas para decorar

azúcar ½ taza

tequila añejo 2 tazas

Grand Marnier ½ taza
(120 ml/4 fl oz)

hielo

**rinde de 6 a 8
porciones**

En una licuadora, trabajando en tandas,
mezcle 4 tazas de agua, sandía, jugo
de limón y azúcar. Licue a velocidad alta
hasta que esté completamente líquida y
espumosa. Pase a una jarra, agregue el
tequila y el Grand Marnier y mezcle. Sirva
en vasos individuales con hielo. Adorne
cada vaso con rebanadas de limón y una
rebanada de sandía.

pepino y chile

. . . .

pepinos 10, sin piel ni
semillas y picados, más
6 u 8 rebanadas para
decorar

jugo de limón fresco
1 taza

**néctar de agave o miel
de abeja** 2 cucharadas
(30 ml/1 fl oz)

chile serrano ½,
sin semillas y finamente
picado, más 6 u 8 chiles
enteros para decorar
(opcional)

sal de mar

tequila blanco 2 tazas

hielo

**rinde de 6 a 8
porciones**

En una licuadora, trabajando en tandas,
mezcle 4 ½ tazas de agua, pepinos
picados, jugo de limón, néctar de agave,
chile picado y una pizca generosa de sal.
Licue a velocidad alta hasta que esté terso.
Cuele a través de un colador de malla
fina colocado sobre una jarra. Agregue
el tequila, mezcle hasta integrar por
completo, refrigere por lo menos durante
una hora antes de servir. Sirva en vasos
individuales con hielo. Decore cada vaso
con una rebanada de pepino y el chile (si
lo usa).

papaya y limón

....

papaya 5 tazas picada, más cubos para decorar

limón fresco ⅓ taza (90 ml/3 fl oz) de jugo, más 6 u 8 rebanadas para decorar

azúcar 1 taza

tequila añejo 2 tazas

Grand Marnier ¼ taza (60 ml/2 fl oz)

hielo

rinde de 6 a 8 porciones

En una licuadora, trabajando en tandas, mezcle 8 tazas de agua, papaya picada, jugo de limón y azúcar. Licue a velocidad alta hasta dejar completamente líquida y espumosa. Pase a una jarra. Agregue el tequila y el Grand Marnier y mezcle. Sirva en vasos individuales con hielo. Decore cada vaso con una rebanada de limón y un pincho para botana con cubos de papaya.

jamaica con menta y frambuesas

....

frambuesas, 3 tazas

menta fresca ¼ taza, toscamente picada, más hojas para decorar

té de jamaica 6 bolsas de té o 6 cucharadas de flores de jamaica

azúcar ¾ taza

tequila blanco 2 tazas

Grand Marnier ½ taza (120 ml/4 fl oz)

jugo de limón fresco ½ taza (120 ml/4 fl oz)

hielo

rinde de 6 a 8 porciones

En una olla grande lleve a ebullición 8 tazas de agua. Añada 2 tazas de frambuesas, menta picada y bolsas de té. Retire del fuego y deje reposar a temperatura ambiente durante una hora. Retire las bolsas de té y pase la mezcla a través de un colador de malla fina colocado sobre una jarra grande. Deseche los sólidos. Agregue azúcar, tequila, Grand Marnier y jugo de limón y mezcle hasta integrar por completo. Refrigere por lo menos durante una hora antes de servir. Sirva en vasos individuales con hielo. Decore con las frambuesas restantes y hojas de menta.

En nuestra opinión, cualquier cosa preparada con Campari puede clasificarse como una bebida con estilo. Es tan atractiva desde la botella con su etiqueta turquesa y el sensacional y antiguo póster publicitario como por su inamovible receta secreta. Esta combinación hace un maravilloso aperitivo.

clementinas y campari

Campari 2 cucharadas (30 ml/1 fl oz)

jugo de clementina fresca 2 cucharadas (60 ml/2 fl oz)

Prosecco 6 cucharadas (90 ml/3 oz)

cáscara o rizo de piel de clementina para decorar

rinde 1 porción

Vierta el Campari en una copa fría tipo flauta para Champaña. Cubra con el jugo de clementina y el Prosecco. Decore con la cáscara o rizo de clementina y sirva de inmediato.

CLEMENTINAS QUERIDAS

Trate de exprimir sus propias clementinas para preparar este coctel, ya que su sabor, por lo general, es superior al de las naranjas regulares. Si utiliza naranjas, elija las Valencia.

pom pom

jengibre fresco 1 trozo de 1 ¼ cm (½-in)

menta fresca 6 hojas

limón ½, partido en cuartos

ron blanco 3 cucharadas (45 ml/1 ½ fl oz)

jugo de granada roja 3 cucharadas (45 ml/1 ½ fl oz)

Grand Marnier 1 cucharada (15 ml/ ½ fl oz)

hielo

ginger ale 1 chorrito

semillas de granada roja para decorar

rinde 1 porción

Rebane el jengibre. En un vaso mezclador para cocteles machaque el jengibre, menta, limón y ron. Añada el jugo de granada y el Gran Marnier y rellene el vaso mezclador con hielo. Tape y agite hasta integrar por completo, vierta hacia un vaso old fashioned lleno de hielo. Cubra con el ginger ale y decore con las semillas de granada. Sirva de inmediato.

VARIACIÓN

Gracias a los milagrosos poderes antioxidantes de la granada roja, actualmente, es más fácil conseguir sus semillas provenientes desde otro hemisferio fuera de la temporada de invierno. Si no las consigue, mezcle esta bebida con frambuesas y jugo de frambuesa.

El yuzu sabe a una combinación de toronja con mandarina. Búsquelo embotellado en tiendas especializadas en alimentos asiáticos. Si se le dificulta conseguirlo, sustituya por cualquier jugo de cítricos, entre más exótico mejor.

gin fizz de flor de azahar

....

MÉZCLELO

Otra atractiva forma de presentar este coctel es con agitadores de cristal. Ellos hacen un sonido encantador que parece ser adecuado para una fiesta de jardín, además de que proporcionan a los invitados algo para entretener sus manos mientras platican.

Llene un vaso mezclador de cocteles con hielo. Añada la ginebra, jugo de yuzu, rebanadas de naranja, agua de flor de azahar y jarabe simple. Tape y agite hasta integrar por completo, vierta en un vaso de high ball lleno de hielos. Cubra con agua mineral. Decore con la flor de azahar (si la usa) y sirva de inmediato.

hielo

ginebra ¼ taza (60 ml/ 2 fl oz)

jugo de yuzu o de limón fresco
2 cucharadas (30 ml/1 fl oz)

naranja ¼, cortada en 2 rebanadas

agua de flor de azahar ½ cucharadita

Jarabe Simple (página 29)
1 cucharada (15 ml/ ½ fl oz)

agua mineral
¼ taza (60 ml/2 fl oz)

flor de azahar, para decorar (opcional)

rinde 1 porción

ponche moscatel de fruta

....

MOSCATEL
MULTICULTURAL

El vino moscatel está hecho en una asombrosa miriada de países, desde Italia hasta Francia y desde Serbia hasta Marruecos. Un *moscato* italiano se usa en esta receta, pero puede elegir el que combine mejor con el origen de los platillos en su menú.

En una jarra mezcle el *moscato,* jugo de limón amarillo, jarabe simple y la mezcla de frutas. Integre por completo y vierta en vasos Collins u Old fashioned individuales llenos con hielo. Sirva de inmediato.

moscato 2 botellas (de 750 ml cada una)

jugo de limón amarillo fresco ¼ taza (60 ml/2 fl oz)

Jarabe Simple (página 29)
¼ taza (60 ml/2fl oz)

mezcla de frutas como duraznos, chabacanos y melón 2½ tazas en cubos pequeños

hielo

rinde de 6 a 8 porciones

cuatro modos de preparar sangría de la estación

sangría blanca primaveral

vino blanco afrutado como el Chenin Blanc o el Gewürztraminer 1 botella (750 ml)

jugo de maracuyá 1¼ taza

jugo de limón fresco ¼ taza (60 ml/2 fl oz)

uvas blancas y moscatel 1 taza de cada una, sin semillas y partidas a la mitad

pera Bartlett o asiática 1, descorazonada y finamente rebanada

litchis 1 lata (570 g/20 oz)

menta y eneldo fresco 2 cucharadas de cada una, picadas

hielo

rinde de 6 a 8 porciones

En una jarra mezcle el vino, jugo de maracuyá y de limón, uvas, pera, litchis con su jarabe, menta y eneldo. Mezcle hasta integrar por completo. Refrigere cerca de 2 horas, hasta que esté bien fría y que se integren los sabores. Para servir, vierta la sangría en vasos Collins u old fashioned individuales llenos de hielo.

sangría rosada de fruta veraniega

vino rosado provenzal 1 botella (750 ml)

jugo de arándano blanco 1¼ taza

frambuesas 3¼ tazas (250 g/1 pint)

zarzamoras o cerezas 3¼ tazas (250 g/1 pint)

nectarina 1, sin hueso y finamente rebanada

durazno blanco 1, sin hueso y finamente rebanado

hielo

rinde de 6 a 8 porciones

En una jarra mezcle el vino rosado, jugo de arándano, frambuesas, zarzamoras (si utiliza cerezas asegúrese de retirar sus huesos), nectarina y durazno. Mezcle hasta integrar por completo. Refrigere cerca de 2 horas hasta que esté bien fría y que se integren los sabores. Para servir, vierta la sangría en vasos Collins u old fashioned individuales llenos de hielo.

sangría de sidra de fruta otoñal

sidra Breton u otra sidra con alcohol 1 botella (750 ml)

ginger ale 1½ taza

Calvados ½ taza (120 ml/4 fl oz)

jugo de limón amarillo fresco ¼ taza (60 ml/2 fl oz)

peras Bosc o Ficelle 2, descorazonadas y finamente rebanadas

manzana roja y verde 1 de cada una, descorazonadas y finamente rebanadas

canela ¼ cucharadita molida, más 6 u 8 rajas para decorar

hielo

rinde de 6 a 8 porciones

En una jarra mezcle la sidra, ginger ale, Calvados, jugo de limón amarillo, peras, manzana roja y verde y canela molida. Mezcle hasta integrar por completo. Refrigere cerca de 2 horas, hasta que esté bien fría y que se integren los sabores. Para servir vierta la sidra en vasos Collins u old fashioned individuales llenos de hielo. Decore con las rajas de canela.

sangría roja invernal

vino tinto afrutado como el Pinot Noir 2 botellas (de 750 ml cada una)

miel de abeja 3 cucharadas

uvas rojas sin semilla 1 taza, partidas a la mitad

naranjas 2, finamente rebanadas

limones amarillos 2, finamente rebanados

manzana Granny Smith 1, descorazonada y picada en cubos

anís estrella 3

raja de canela 1

hielo

rinde de 6 a 8 porciones

Para preparar una sangría fría, en una olla pequeña mezcle una taza de vino con la miel. Deje hervir sobre fuego medio y mezcle hasta que se disuelva la miel. Retire del fuego y deje enfriar. En una jarra revuelva la mezcla de vino con miel con los ingredientes restantes. Mezcle hasta integrar por completo. Refrigere cerca de 2 horas, hasta que esté bien fría y se integren los sabores. Para servir vierta la sangría en vasos Collins u old fashioned individuales llenos de hielo.

Para preparar sangría caliente, en una olla sobre fuego medio mezcle todos los ingredientes, lleve a ebullición y mezcle. Retire del fuego y cuele hacia tarros refractarios para servir.

El cosmo es un bello descendiente del clásico gimlet, preparado con jugo de limón y ginebra. También es un pariente cercano del kamikaze preparado con vodka como ingrediente básico y con otra bebida de arándano, el Cape Codder. Nosotros adoramos el aroma que deja la flor de saúco en esta versión del coctel perenne.

cosmopolitan blanco de flor de saúco

. . . .

LA ELEGANTE FLOR DE SAÚCO

Hemos encontrado muchos usos para el concentrado de flor de saúco, como agregar un chorrito al Prosecco o para dar sabor a la *panna cotta*. Es divertido explorar los licores menos conocidos y utilizarlos para completar su bar casero.

Llene un vaso mezclador con hielo. Añada el vodka, licor de flor de saúco, jugo de arándano blanco y jugo de limón. Tape y agite hasta integrar por completo, vierta en una copa fría para martini. Deje flotar una flor en la bebida y sirva de inmediato.

hielo

vodka ¼ taza (60 ml/ 2 fl oz)

licor St-Germain de flor de saúco 2 cucharadas (30 ml/1 fl oz)

jugo de arándano blanco 2 cucharadas (30 ml/1 fl oz)

jugo de limón 1 cucharada (15 ml/ ½ fl oz)

flores de saúco para decorar

rinde 1 porción

mule del barrio chino

. . . .

VARIACIÓN

Para una versión aún más exótica para la clásica bebida mule de Moscú busque la fruta cítrica llamada mano de Buda u otra variedad extraña y utilice en vez del limón.

Rebane el jengibre. En un vaso mezclador machaque el jengibre, cilantro, azúcar morena y cáscara de limón. Agregue el vino de arroz, vodka, jugo de limón y suficiente hielo para rellenar el vaso. Tape, agite hasta integrar por completo y vierta en un vaso old fashioned lleno de hielo. Decore con las rebanadas de jengibre, tira de cáscara de limón y rebanadas de limón. Sirva de inmediato.

jengibre fresco un trozo de 1 ¼ cm (½-in) más rebanadas para decorar

cilantro 3 ramas

azúcar morena 1 cucharadita

cáscara de limón un trozo de 1 ¼ cm (½-in) más tiras para decorar

vino de arroz 6 cucharadas (90 ml /3 fl oz)

vodka con sabor cítrico 3 cucharadas (40 ml/1 ½ fl oz)

jugo de limón fresco 1 cucharada (15 ml/ ½ fl oz), más rebanadas para decorar

hielo

rinde 1 porción

cuatro modos de preparar jarabes sencillos

jarabe simple

azúcar 1 taza

agua 1 taza

rinde 1½ taza

En una olla pequeña mezcle el azúcar y el agua. Hierva sobre fuego medio cerca de 3 minutos, moviendo para disolver el azúcar. Retire del fuego y deje enfriar. Almacene dentro del refrigerador en un recipiente hermético hasta por 3 semanas.

jarabe de rosas

azúcar 1 taza

agua 1 taza

agua de rosas 2 cucharaditas

rinde 1½ taza

En una olla pequeña mezcle el azúcar y el agua. Hierva sobre fuego medio cerca de 3 minutos, moviendo para disolver el azúcar. Retire del fuego y deje enfriar. Añada el agua de rosas y mezcle. Almacene en el refrigerador en un recipiente hermético hasta por 3 semanas.

Nota: Para una variación de sabor, utilice 2 cucharaditas de agua de flor de azahar en vez del agua de rosas.

jarabe de flor de saúco

azúcar 1 taza

agua 1 taza

flores de saúco secas 1 cucharada o 1 bolsa de té

rinde 1½ taza

En una olla pequeña mezcle el azúcar y el agua. Hierva sobre fuego medio cerca de 3 minutos, moviendo para disolver el azúcar. Retire del fuego y añada las flores de saúco. Deje enfriar. Refrigere durante toda la noche. Vierta el líquido a través de un colador de malla fina colocado sobre un recipiente hermético y refrigere hasta por 3 semanas.

Nota: Para una variación de sabor, utilice una cucharada de flores de jamaica o una bolsa de té de jamaica o de lavanda en vez de las flores de saúco.

jarabe de limón kaffir

azúcar 1 taza

agua 1 taza

hojas de limón kaffir 4

rinde 1½ taza

En una olla pequeña mezcle el azúcar y el agua. Hierva sobre fuego medio cerca de 3 minutos, moviendo para disolver el azúcar. Retire del fuego y añada las hojas de limón. Deje enfriar. Refrigere durante toda la noche. Vierta el líquido a través de un colador de malla fina colocado sobre un recipiente con tapa hermética y refrigere hasta por 3 semanas.

Nota: Para una variación de sabor, utilice un trozo de 5 cm (2 in) de piel de algún cítrico o un tallo de lemongrass, finamente picado, en vez de las hojas de limón kaffir.

¿A quién no le gusta un toddy caliente? Esta versión adquiere un adorable aroma y sabor con el aceite de ajonjolí tostado usado en vez de la mantequilla. En esta receta también hemos cambiado la típica canela, que muchas veces es demasiado fuerte, por jengibre y anís estrella.

toddy caliente con especias

ESPECTÁCULO DE COCTELES

Si realmente quiere montar un espectáculo, prepare cada toddy como el tío de Jamie lo hacía: caliente un atizador en la chimenea, mezcle los ingredientes en un tarro resistente y sumerja la punta del atizador caliente en el tarro para calentar el toddy.

En una olla pequeña sobre fuego medio mezcle el jugo de manzana, miel, jengibre y anís estrella. Lleve a ebullición lenta y mezcle. Retire del fuego. Añada el brandy y el jugo del medio limón. Vierta en un tarro refractario reservando el anís estrella. Decore con el anís estrella y rocíe la superficie con aceite de ajonjolí. Sirva de inmediato.

jugo de manzana ¾ taza (180 ml/6 fl oz)

miel de abeja ½ cucharadita

jengibre fresco 1 trozo de 6 mm (¼-in)

anís estrella 1

brandy ¼ taza (60 ml/2 fl oz)

limón amarillo ½

aceite de ajonjolí tostado ¼ cucharadita

rinde 1 porción

ponche caliente de arándano

MANTENGA CALIENTE

Los cocteles calientes son cordiales y relajantes, son bebidas íntimas, algo que nos gusta servir cerca de una chimenea con amigos cercanos (de preferencia invitados a pasar la noche para que no manejen enseguida de regreso a sus casas).

Usando un pelador de verdura retire una tira de 7 ½ cm (3 in) de la piel de la naranja; reserve la naranja restante para otro uso. En una olla pequeña sobre fuego medio mezcle la piel de la naranja, jugo de arándano, jugo de limón y miel. Lleve a ebullición ligera y mezcle. Retire del fuego y vierta con mucho cuidado en un tarro refractario. Añada la raja de canela y mezcle. Decore con los arándanos frescos.

naranja 1

jugo de arándano ¾ taza más 2 cucharadas (210 ml /7 fl oz)

jugo de limón fresco 1 cucharada (15 ml/ ½ fl oz)

miel de abeja 1 cucharadita

raja de canela

arándanos frescos para decorar

rinde 1 porción

cuatro modos de preparar bebidas refrescantes

cherryade

....

cerezas Bing o Rainer
2½ tazas, sin hueso

azúcar ¼ taza

tomillo fresco 1 rama

jugo de limón fresco ¼
taza (50 ml/2 fl oz)

hielo

agua mineral 1 chorrito

**rinde de 6 a 8
porciones**

En una olla grande sobre fuego medio-alto
mezcle las cerezas, azúcar, tomillo y 1/4
taza de agua. Cocine cerca de 30 minutos,
moviendo de vez en cuando, hasta que las
cerezas se hayan suavizado. Retire del
fuego y deje enfriar. Deseche el tomillo,
pase la mezcla a una licuadora y prepare
un puré terso. Cuele a través de un colador
de malla fina colocado sobre una jarra.
Incorpore el jugo de limón y refrigere por lo
menos durante 30 minutos.

Llene con hielo vasos Collins individuales.
Rellene cada vaso a una tercera parte de
su capacidad con la mezcla de cerezas y
cubra con agua mineral.

té verde con lemongrass

....

lemongrass de 7 a 9
tallos

té verde 4 bolsas de té

**néctar de agave o
miel de abeja** ½ taza
(120 ml/4 fl oz) más la
necesaria

**jugo de limón amarillo
fresco**
½ taza (120 ml/4 fl oz)

hielo

**rinde de 6 a 8
porciones**

Retire y deseche las hojas de cada tallo de
lemongrass, corte la base del bulbo pálido.
Pique finamente un tallo y reserve los
demás para decorar. En una olla grande
hierva 6 tazas de agua. Agregue las
bolsas de té, el lemongrass picado y el
néctar de agave. Retire del fuego y deje
reposar durante 10 minutos. Cuele a través
de un colador de malla fina y deje enfriar
a temperatura ambiente. Una vez frío pase
a una jarra, incorpore el jugo de limón y
refrigere por lo menos durante 30 minutos.
Pruebe y añada más néctar de agave si
fuera necesario. Vierta en vasos
individuales con hielo. Decore con los tallos
de lemongrass y sirva de inmediato. Usted
puede escarchar los vasos con azúcar o sal
(página 41) antes de rellenarlos, si lo
desea.

cooler veraniego de frutas del bosque

....

zarzamoras 2 ¼ tazas
(250 g/1 pint)

moras azules 2 ¼ tazas
(250 g/1 pint)

menta fresca ¼ taza,
finamente picada

**Jarabe de Flor de
Saúco (variación de
sabor página 29)** 1
taza

jugo de limón fresco
½ taza (125 ml/4 fl oz)

hielo

agua mineral 4 tazas

**rinde de 6 a 8
porciones**

En una jarra machaque las frutas con la
menta. Añada el jarabe de lavanda y el
jugo de limón; mezcle. Llene la jarra a tres
cuartas partes de su capacidad con hielo y
cubra con el agua mineral. Sirva de
inmediato en vasos individuales.

limonada amalfi

....

hojas de limón verbena
8 más hojas para decorar

azúcar ½ taza

**jugo de limón amarillo
fresco**
1¼ taza

hielo

limones amarillos 2,
finamente rebanados

**rinde de 6 a 8
porciones**

En una olla pequeña hierva 2 tazas de
agua. En una taza de medir refractaria
mezcle el agua hirviendo con las hojas de
limón. Agregue el azúcar, moviendo para
que se disuelva. Deje reposar durante 10
minutos. Cuele a través de un colador de
malla fina y refrigere por lo menos durante
30 minutos. En una jarra mezcle el jarabe
de limón verbena con 4 tazas de agua y el
jugo de limón. Sirva en vasos individuales
con hielo. Decore con las hojas de limón
verbena y las rebanadas de limón.

Ligera y espumante, esta bebida de toronja es una forma perfecta de terminar casi cualquier comida o cena. El sorbete mantiene la bebida fría y se ve precioso (utilice un cortador de melón para hacer pequeñas bolas perfectas del sorbete). Sirva el coctel con una cuchara de mango largo.

fizz de toronja

sorbete de toronja, 3 bolas de pequeñas

vino moscatel 6 cucharadas (90 ml/3 fl oz)

rinde 1 porción

Coloque el sorbete en una copa tipo flauta para Champaña. Vierta el moscatel cuidadosamente sobre el sorbete y sirva de inmediato acompañando con una cuchara de mango largo.

VARIACIÓN

Por supuesto que la toronja no es la única opción. Experimente con otros sorbetes de cítricos o fruta tropical para que haga sus propios fizz de firma.

blush de champaña

hielo

Jarabe de Rosas (página 29) 2 cucharadas (30 ml/1 fl oz)

licor de granada roja 2 cucharadas (30 ml/1 fl oz)

Champaña 6 cucharadas (90 ml/3 fl oz)

rinde 1 porción

Llene un vaso mezclador con hielo. Agregue el jarabe de agua de rosas y el licor de granada roja. Tape y agite bien. Cuele sobre una copa tipo flauta para Champaña fría y cubra con la Champaña. Sirva de inmediato.

ACOMPAÑE CON

Nosotros lo consideramos como una versión del Kir royale del Norte de África y a menudo lo servimos con un platón de meze, un platillo típico del Mediterráneo, antes de una comida con brochetas de cordero asadas.

tres modos de preparar bellini de fruta

bellini

azúcar superfina
(caster sugar) ½ taza
(opcional)

limón amarillo 1,
cortado en 6 rebanadas
(opcional)

puré de fruta de
su elección (vea
explicación a la
derecha y abajo)
¾ taza (180 ml/6 fl oz)

Prosecco 2¼ tazas (560
ml/18 fl oz)

rinde 6 porciones

Si usted elige escarchar con azúcar sus copas de flauta para champaña, ponga una capa delgada de azúcar en un plato pequeño. Humedezca la orilla externa de la copa con una rebanada de limón. Manteniendo la orilla hacia abajo, en ángulo, rote lentamente la orilla exterior en el azúcar teniendo cuidado de que no entre azúcar adentro de la copa. Sacuda ligeramente para retirar el exceso. Repita la operación con las copas restantes.

Añada 2 cucharadas (28 ml/1 fl oz) de puré de fruta a cada copa preparada y cubra con 6 cucharadas (90 ml/3 fl oz) de Prosecco. Si usa copas escarchadas, tenga cuidado de que el Prosecco no toque las orillas o burbujeará y se derramará. Sirva de inmediato.

puré de durazno blanco

duraznos blancos 2
Jarabe Simple (página
29) 3 cucharadas (45
ml/ 1½ fl oz)

**rinde
1½ taza**

Retire la piel y los huesos de los duraznos; pique en cubos. En una licuadora o procesador de alimentos mezcle los duraznos con el jarabe simple y haga un puré terso. Pruebe y rectifique el sabor añadiendo más jarabe si fuera necesario. Refrigere hasta el momento de servir.

Si lo desea, puede preparar el puré con anticipación y congelar en una charola para hielos hasta por 2 semanas, o hasta por 3 meses si se almacena en un recipiente hermético o en bolsas de plástico para congelar alimentos con cierre.

puré de mango

mangos 2
Jarabe Simple (página
29) 3 cucharadas (45
ml/ 1½ fl oz)

**rinde
aproximadamente
1½ taza**

Retire la piel y el hueso de los mangos y pique en cubos. En una licuadora o procesador de alimentos mezcle los mangos con el jarabe simple y procese hasta obtener un puré terso. Pruebe y rectifique el sabor añadiendo más jarabe si fuera necesario. Refrigere hasta el momento de servir.

Si lo desea, puede preparar el puré con anticipación y congelar en una charola para hielos hasta por 2 semanas, o hasta por 3 meses si se almacena en un recipiente hermético o en bolsas de plástico para congelar alimentos con cierre.

puré de frambuesa

frambuesas 2 ¼ tazas
(250 g/1 pint)
Jarabe Simple (página
29) ¼ taza (60 ml/2
fl oz)

**rinde
1½ taza**

En una licuadora o procesador de alimentos mezcle las frambuesas con el jarabe simple y procese hasta obtener un puré terso. Pruebe y rectifique el sabor añadiendo más jarabe si fuera necesario.

Cuele a través de un colador de malla fina, utilizando el revés de una cuchara grande para presionar la fruta a través del colador. Refrigere hasta el momento de servir.

Si lo desea, puede preparar el puré con anticipación y congelar en una charola para hielos hasta por 2 semanas, o hasta por 3 meses si almacena en un recipiente hermético o en bolsas de plástico para congelar alimentos con cierre.

Nuestro amigo Larry Schwartz acostumbraba preparar Bloody Marys para los profesores en su universidad, un día no encontrando salsa inglesa. Y ya que no se daba por vencido con facilidad, pensó rápidamente suplirla con salsa A1 para carnes. A todo el mundo le encantó y así siguió sacando muy buenas calificaciones.

bloody mary con salsa A1

. . . .

VARIACIÓN

Si le urge tomar algo para curarse la cruda, puede servir esta bebida con un pincho de aceitunas en lugar de las verduras en escabeche. O sustituya el horseradish por wasabe, agregue una concha de ostión Kunamoto y decore con jengibre en salmuera y tendrá una bebida estilo japonés con ostión.

Para preparar verduras en escabeche, retire el tallo de rábanos, zanahorias, ejotes verdes delgados y amarillos y quingombó. Pique el apio en trozos de 10 cm (4 in) de largo y parta los rábanos a la mitad. En una olla pequeña mezcle el vinagre, azúcar, sal, semillas de mostaza, anís estrella y granos de pimienta. Lleve a ebullición sobre fuego alto y revuelva hasta que se disuelva el azúcar. Coloque el apio, rábanos, zanahorias, ejotes verdes y amarillos y quingombó en un tazón refractario grande. Vierta la mezcla del vinagre caliente en el tazón, asegurándose de que todas las verduras queden sumergidas. Deje enfriar, mezclando las verduras frecuentemente. Tape y refrigere por lo menos de 2 a 4 horas antes de servir.

Exprima el jugo de las mitades de limón en una jarra grande. Añada el jugo de tomate, rábano picante, salsa A1, sal de apio, pimienta negra, pimienta de cayena y páprika; mezcle hasta integrar por completo.

Agregue el vodka y mezcle hasta integrar. Vierta en vasos old fashioned o vasos rectos llenos de hielo. Decore con la verdura en escabeche y sirva de inmediato. Acompañe con la verdura sobrante a un lado.

VERDURA EN ESCABECHE

rábanos alargados suaves como los French Breakfast, zanahorias pequeñas, ejotes verdes delgados (haricots verts) y amarillos y quingombó (angú), aproximadamente 100 g (¼ lb) de cada uno

apio 4 tallos

vinagre de vino blanco 2 tazas

azúcar ½ taza

sal de mar y semillas de mostaza amarilla 2 cucharaditas de cada una

anís estrella 1, rota en trozos

granos de pimienta 6

limón amarillo 1, partido a la mitad

jugo de tomate 4 tazas

rábano picante (horseradish) 2 cucharaditas, recién rallado

salsa A1 para carne o salsa inglesa 2 cucharaditas

sal de apio y pimienta negra molida 2 cucharaditas de cada una

pimienta de cayena 1 cucharadita

páprika ½ cucharadita

vodka 2 tazas

hielo

rinde 6 porciones

Para añadir otro elemento de textura y otra capa de sabor a sus cocteles utilice vasos escarchados con azúcar y sal. Son atractivos a la vista y ¡dan una sensación deliciosa a sus labios! Sus invitados quedarán muy impresionados.

escarchando con sales y azúcares

. . . .

AZÚCAR ACANELADA

azúcar ½ taza

canela molida 2 cucharaditas

AZÚCAR CON INFUSIÓN DE CÍTRICOS

azúcar ½ taza

limón amarillo o verde ½

SAL AHUMADA

sal kosher o de mar ½ taza

páprika ahumada 2 cucharaditas

SAL DE WASABE

sal kosher o de mar ½ taza

polvo de wasabe 2 cucharaditas

rinde suficiente para escarchar 4 vasos

Para preparar azúcar acanelada, en un tazón pequeño ponga el azúcar y la canela molida y mezcle hasta integrar por completo.

Para preparar azúcar con infusión de cítricos, coloque el azúcar en un frasco de vidrio o recipiente hermético. Retire la piel de medio limón en tiras largas y delgadas y añada al azúcar. Mezcle hasta integrar por completo. Tape herméticamente y deje reposar por lo menos durante 12 horas o hasta por 24 horas. Cierna el azúcar a través de un colador de malla fina y deseche las tiras de limón.

Para preparar la sal ahumada, en un tazón pequeño coloque la sal y la páprika y mezcle hasta integrar por completo.

Para preparar la sal de wasabe, en un tazón pequeño coloque la sal y el polvo de wasabe y mezcle hasta integrar por completo.

Para cubrir la orilla de un vaso, cubra la superficie de un plato pequeño con una capa delgada de sal o de azúcar (asegúrese de que el plato sea más ancho que la orilla del vaso). Humedezca la orilla exterior del vaso con una rebanada de algún cítrico. Deteniendo la orilla del vaso hacia abajo, en ángulo, rote lentamente la orilla exterior en el ingrediente para escarchar, teniendo cuidado de que el ingrediente no entre dentro del vaso. Sacuda ligeramente para retirar el exceso de cobertura.

MEZCLE Y COMBINE

Muchas bebidas además de las margaritas, pueden realzarse al escarcharse con sal. Pruebe al preparar el Bloody Mary con Salsa A1 (página 38) o el Agua Fresca de Pepino y Chile (página 18). Escarchar con azúcar acanelada hace un delicioso Toddy Caliente con Especias (página 30) y el escarchado de infusión cítrica es perfecto para el Jengibre y más Jengibre (página 14). Es interesante que el Lillet de Limón (página 17) pueda escarcharse con azúcar o con sal.

entradas

Las entradas o hors d'oevuvres son divertidas y tangibles además de deliciosas. Es la única parte de la comida que regularmente se come con las manos en el mundo occidental.

Para estos platillos sencillos, usted necesitará ingredientes de la mejor calidad. Nosotros recomendamos la sal de mar English Maldon. Tiene un sabor y una textura maravillosos pero, lo mejor de todo, es que está hecha en Maldon, Essex, ¡muy cerca de donde nosotros vivimos!

pimientos de padrón asados con sal de mar

CÓMO PRESENTARLOS

Los pimientos de padrón son originarios de un pueblo con el mismo nombre en la zona de Galicia, al noroeste de España. En las comidas o cenas casuales nos gusta servir estos adictivos pimientos, sobre una tabla rústica, espolvoreados con sal de mar.

Precaliente el asador a fuego alto y engrase la rejilla con aceite. En un tazón mezcle los pimientos con el aceite.

Ase los pimientos de 3 a 4 minutos en total, volteándolos con pinzas, hasta que las pieles estén empolladas por todos lados. Sazone generosamente con sal y sirva de inmediato.

pimientos de padrón 500 g (1 lb)

aceite de oliva extra virgen 1 cucharada

Maldon u otra sal de mar

rinde 4 porciones

espárragos asados con sal de mar

ACOMPAÑE CON

Ésta es una perfecta guarnición, especialmente para cordero o pescado. Cuando se sirve con un dip también es una maravillosa botana para fiesta. En la primavera nosotros asamos una mezcla colorida de espárragos morados, verdes y blancos y espolvoreamos con ralladura de limón.

Precaliente un asador a fuego alto y engrase la rejilla con aceite. En un tazón mezcle los espárragos ligeramente con el aceite.

Ase los espárragos de 4 a 5 minutos en total, volteándolos ocasionalmente con ayuda de unas pinzas, hasta que estén ligeramente dorados pero aún crujientes. Sazone generosamente con sal y acompañe con rebanadas de limón.

espárragos enteros 500 g (1 lb), sin la parte dura de su base

aceite de oliva extra virgen 1 cucharada

sal Maldon u otra sal de mar

limones amarillos en rebanadas para acompañar

rinde 4 porciones

crudités con tres tipos de aderezos

crudités

zanahorias pequeñas como las Golden Nugget o una mezcla de zanahorias miniatura 230 g (½ lb)

rábanos French Breakfast 230 g (½ lb)

brócoli rabe 230 g (½ lb)

jitomates cereza pequeños 230 g (½ lb)

pepino libanés o persa 230 g (½ lb), rebanados en diagonal

radicchio de Treviso 1 cabeza, sus hojas separadas

el aderezo de su elección (vea receta abajo a la derecha)

rinde de 4 a 6 porciones

Corte las ramas de las zanahorias dejándolas de 2 ½ cm (1 in) y parta las zanahorias longitudinalmente a la mitad. Corte el tallo de los rábanos dejándolo de 2 ½ cm (1 in) y parta los rábanos longitudinalmente a la mitad (deje enteros si están pequeños). Corte y deseche la base de cada tallo de brócoli rabe y separe en hojas de 7 ½ cm (3 in).

Acomode todas las verduras en un platón y acompañe con el aderezo de su gusto.

tzatziki

pepino inglés 1, sin piel, partido a la mitad y sin semillas

limón amarillo 1

yogurt de leche entera natural estilo griego 2 tazas

eneldo fresco 2 cucharadas, finamente picado

menta fresca 2 cucharadas, finamente picada

sal y pimienta molida

rinde 2½ tazas

Usando los orificios más grandes de un rallador manual, ralle toscamente el pepino. Coloque en un colador de malla fina y deje reposar a temperatura ambiente cerca de 10 minutos, hasta que el líquido se haya escurrido. Deseche el líquido y exprima el pepino para retirar toda la humedad.

Ralle la cáscara del limón hacia un tazón, parta a la mitad y exprima su jugo hacia el tazón. Incorpore el pepino, yogurt, eneldo y menta. Sazone al gusto con sal y pimienta.

aderezo de berenjena asada

berenjenas 2, ½ kg (1 lb) en total

limón amarillo 1, partido a la mitad

aceite de oliva extra virgen ½ taza o más si fuera necesario

ajo 1 cucharadita, finamente picado, o al gusto

hojuelas de chile rojo ½ cucharadita

sal y pimienta molida

queso feta ¼ taza, desmoronado

perejil liso fresco 1 cucharada, picado

rinde 2½ tazas

Precaliente el horno a 260°C (500°F). Pique las berenjenas en varios lados. Ase de 15 a 30 minutos, dependiendo del tamaño, volteando ocasionalmente, hasta que las berenjenas se desbaraten y su piel se ampolle. Retire del horno.

Cuando las berenjenas estén lo suficientemente frías para poder tocarlas, rebane para abrir y, con ayuda de una cuchara, retire la carne y deseche la piel. Pique finamente la carne y pase a un tazón. Exprima el jugo de limón y añada el aceite de oliva, ajo y hojuelas de chile. Sazone al gusto con sal y pimienta.

Cuando se enfríen pase a un procesador de alimentos. Procese hasta obtener un puré terso, añadiendo unas cucharaditas de agua o aceite de oliva si fuera necesario para obtener la consistencia de aderezo. Pruebe y rectifique la sazón añadiendo más sal, jugo de limón o ajo. Pase a un plato de servicio, espolvoree con el queso feta y decore con el perejil.

nuestro humus favorito

garbanzos 1 lata (de 425 g/15 oz)

ajo 2 dientes

salsa tahini ⅓ taza

aceite de oliva extra virgen ¼ taza más 1 cucharada

jugo de limón amarillo fresco 2½ cucharadas

sal

perejil liso fresco 1½ cucharadita, finamente picado

páprika ahumada ⅛ cucharadita (opcional)

rinde 2½ tazas

En un colador enjuague y escurra los garbanzos. En un procesador de alimentos mezcle los garbanzos con el ajo y muela hasta que el ajo esté finamente picado. Usando una espátula baje lo que quede en las orillas. Agregue la salsa tahini, ¼ taza de agua, ¼ taza de aceite de oliva, jugo de limón y ½ cucharadita de sal. Muele hasta que los ingredientes estén completamente mezclados pero que tenga una consistencia rústica.

Pase el humus a un tazón de servicio. Rocíe con una cucharada de aceite de oliva y adorne con el perejil. Espolvoree con la páprika (si la usa).

cuatro modos de preparar rábanos primaverales

rábanos con sal negra y mantequilla

· ·

rábanos mixtos como el Easter Egg, French Breakfast y Cherry Bell 2 manojos

sales de mar como la hawaiana negra y la *fleur de sel* para acompañar

mantequilla sin sal, de preferencia estilo europeo como *beurre d'Échiré* o *Celles sur Belles* para acompañar

rinde de 4 a 6 porciones

Limpie y recorte las hojas de los rábanos pequeños dejando algunas hojas bonitas. Rebane los rábanos más grandes a la mitad.

Acomode los rábanos en uno o varios platos. Acompañe con sal y mantequilla en platos pequeños o ramekins. Saque otro tazón para poner las hojas de rábano sobrantes.

Un consejo de presentación
La forma clásica de servir los rábanos es acompañando con un pequeño recipiente con mantequilla y sal de mar para espolvorear. Aproveche toda la variedad de mantequillas estilo europeo que existen y los diferentes tipos de sal de mar que se pueden encontrar actualmente y ofrezca más de una variedad.

rábanos watermelon rebanados

· ·

rábanos grandes como los Watermelon 6

sal de mar como la Maldon, rosa australiana o *fleur de sel* para acompañar

mantequilla sin sal, de preferencia estilo europeo para acompañar

rinde de 4 a 6 porciones

Limpie y recorte las hojas de los rábanos. Usando una mandolina rebane los rábanos en rodajas de 3 mm (1/8 in) de grueso.

Acomode los rábanos rebanados en un tazón. Acompañe con sal y mantequilla en platos pequeños o ramekins.

Un consejo de presentación
Puede utilizar diferentes variedades de rábanos grandes como el Black Hilamayan y Lime. Cuando usted tenga rábanos de diferentes colores y manchas en su piel, rebane muy finamente para mostrar la belleza de su interior.

rábanos french breakfast en hielo

....

rábanos French Breakfast
2 ó 3 manojos

hielo picado

sal de mar como la *fleur de sel* para acompañar

mantequilla sin sal, de preferencia estilo europeo para acompañar

rinde de 4 a 6 porciones

Limpie y recorte las hojas de los rábanos pequeños dejando algunas hojas bonitas.

Llene un tazón poco profundo con hielo picado. Anide los rábanos en el hielo, dejando las hojas visibles. Acompañe con platos pequeños o ramekins con sal y mantequilla. Saque otro tazón para poner las hojas sobrantes.

Un consejo de presentación
Los rábanos saben mejor cuando se sirven bien fríos en hielo. Si hace mucho calor y están al aire libre o desean simplemente añadir un toque de elegancia a cualquier día, coloque los rábanos en hielo.

rábanos easter egg con sal ahumada

....

rábanos Easter Egg miniatura 2 ó 3 manojos

sales de mar como la ahumada y la *fleur de sel* para acompañar

mantequilla sin sal, de preferencia estilo europeo para acompañar

rinde de 4 a 6 porciones

Limpie y recorte las hojas de los rábanos.

Acomode los rábanos en uno o varios platos. Acompañe con platos pequeños o ramekins con sal y mantequilla. Saque otro tazón para poner las hojas sobrantes.

Un consejo de presentación
Mezcle las sales de diferentes colores en un solo plato para mostrarlas bellamente y crear un impacto visual.

tres modos de preparar verduras asadas con salsa romesco

salsa romesco

jitomate guaje 1

ajo 2 dientes,
machacados

almendras Marcona
⅓ taza

pimientos del piquillo
en frasco 1 taza,
escurridos

vinagre de vino tinto 2
cucharadas

pan del día anterior 1
rebanada

aceite de oliva extra
virgen
¼ taza

sal de mar y pimienta
molida

verduras asadas de su
gusto (abajo derecha)

rinde 4 porciones

En un procesador de alimentos mezcle el jitomate, ajo, almendras, pimientos del piquillo, vinagre y pan y procese cerca de un minuto, hasta tener una pasta tosca. Usando una espátula baje los residuos de las orillas del tazón y, con el motor encendido, añada el aceite de oliva gradualmente hasta integrar por completo. Sazone al gusto con sal y pimienta.

Pase la salsa a un tazón y acompañe con las verduras asadas.

poros asados

poros 16 muy
tiernos, cada uno de
aproximadamente 1 cm
(½ in) de grueso

aceite de oliva extra
virgen
para barnizar

sal de mar y pimienta
molida

Salsa Romesco
(izquierda)
para acompañar

rinde 4 porciones

Usando un cuchillo mondador recorte y deseche la raíz de los poros. Retire las hojas verdes y la capa externa de cada poro. Haga una hendidura de 2 ½ cm (1 in) en ambos lados de cada poro cortando hacia abajo, hasta donde empieza la parte blanca del poro. En un tazón grande con agua fría, lave los poros perfectamente. Ponga a hervir una olla con agua sobre fuego alto y blanquee los poros durante 5 minutos. Escurra y seque con toallas de papel.

Precaliente un asador o una sartén para asar sobre la estufa a fuego medio-alto y engrase ligeramente con aceite. Barnice los poros con aceite de oliva y sazone generosamente con sal y pimienta. Ase los poros cerca de 8 minutos en total, volteándolos con pinzas cada 2 ó 3 minutos, hasta que estén suaves y atractivamente tostados.

Coloque los poros en un platón y acompañe con la salsa romesco.

escarola y achicoria asadas

escarola 1 cabeza

tomillo fresco 2 ramas,
finamente picadas

aceite de oliva extra
virgen
para rociar

jugo de limón amarillo
fresco 1 cucharada

sal de mar y pimienta
molida

achicoria 2 cabezas

Salsa Romesco (arriba)
para acompañar

rinde 4 porciones

Corte la escarola longitudinalmente en cuartos y seque con toallas de papel. Espolvoree con la mitad del tomillo, rocíe con el aceite de oliva y la mitad de jugo de limón, sazone generosamente con sal y pimienta.

Corte la achicoria longitudinalmente en cuartos, asegurándose de mantener una parte del tallo unido a cada cuarto. Cubra cada cuarto con el resto del tomillo, aceite de oliva y jugo de limón; sazone con sal y pimienta.

Precaliente un asador o una sartén para asar sobre la estufa a fuego medio-alto y engrase ligeramente con aceite. Ase la escarola cerca de 5 minutos por cada lado, hasta que esté ligeramente marchita y tostada en las orillas. Reserve. Ase la achicoria de 3 a 5 minutos, hasta quemar ligeramente. Coloque en un platón de servicio, rocíe con aceite de oliva y sazone al gusto con sal y pimienta. Acompañe con la salsa romesco.

verduras de verano asadas

calabazas amarillas de
verano, calabacitas o
una mezcla de las dos
6 (1 ½ kg/3 lb en total),
partidas longitudinalmente
a la mitad

sal de mar y pimienta
molida

aceite de oliva extra
virgen
2 cucharadas, más el
necesario para barnizar

berenjenas 4 pequeñas,
partidas longitudinalmente
en rebanadas gruesas

jugo de limón amarillo
fresco 2 cucharadas

Salsa Romesco
(arriba) para acompañar

rinde 4 porciones

Precaliente un asador o una sartén para asar sobre la estufa a fuego medio-alto y engrase ligeramente con aceite. Mezcle las calabazas con ¾ cucharadita de sal, ½ cucharadita de pimienta y 2 cucharadas de aceite de oliva. Barnice las rebanadas de berenjena por ambos lados con aceite de oliva y sazone con sal y pimienta.

Ase las calabazas cerca de 6 minutos en total (tape si utiliza un asador de gas), volteando una vez hasta que se les marque la rejilla. Pase a donde no haya carbón y ase cerca de 4 minutos más, tapando, hasta dejar suaves. Ase las berenjenas de 6 a 8 minutos (tape si utiliza un asador de gas), hasta que estén muy suaves, volteando una vez y barnizando con más aceite si se ven secas.

Pase las calabazas a un platón de servicio y rocíe con jugo de limón. Acomode las berenjenas a un lado. Acompañe con la salsa romesco.

Para ser francos, somos un poco perezosos cuando se trata de preparar pasta. Creemos que preparar ravioles en casa es una lata. Por lo tanto, los cuadros de wonton son la solución perfecta. Son ligeros e ideales para hacer ravioles, tortellini y lasaña pequeña. Búsquelos en supermercados y tiendas de productos asiáticos.

ravioles de calabaza delicata

VARÍE EL RELLENO

Utilice cualquier tipo de calabaza o calabacitas que desee. Cuando nosotros tenemos sobrantes de verduras asadas, las mezclamos con queso y hierbas de olor y hacemos estos deliciosos ravioles.

Precaliente el horno a 190°C (375°F).

Parta las calabazas en cuartos, pele, retire las semillas y pique en trozos de 2 ½ cm (1 in). Acomode en una charola para hornear con bordes. Rocíe las calabazas con ¼ taza de aceite de oliva y esparza el ajo y las ramas de tomillo sobre ellas. Sazone generosamente con sal y pimienta. Hornee de 30 a 40 minutos, hasta que se sientan suaves al picarlas con un tenedor. Retire y deje enfriar.

Deseche el tomillo y pase las calabazas y ajo a un tazón. Machaque las calabazas y dientes de ajo con ayuda de un tenedor, hasta obtener una pasta tosca. Incorpore los quesos y sazone al gusto con sal y pimienta.

Acomode 6 cuadros wonton sobre una superficie de trabajo limpia. Barnice ligeramente las orillas de cada cuadro con huevo batido, coloque 1 ½ cucharada de la mezcla de calabaza en el centro de cada cuadro, doble para hacer un triángulo y presione las orillas para sellar. Acomode los triángulos sobre una charola para hornear y cubra con un trapo de cocina húmedo para impedir que se sequen. Repita la operación con los cuadros y el relleno restantes. Usted deberá tener 16 ravioles.

Hierva agua salada en una olla grande. Mientras tanto, en una sartén sobre fuego medio caliente una cucharada de aceite de oliva, agregue la espinaca y saltee cerca de 2 minutos, hasta que empiece a marchitarse. Retire del fuego. Agregue los ravioles a la olla con el agua hirviendo y cocine cerca de 2 minutos, hasta que los ravioles estén traslúcidos y suban a la superficie. Usando una cuchara ranurada, cuidadosamente retire los ravioles y añada a la sartén con las espinacas. Mezcle suavemente sobre fuego medio durante 1 ó 2 minutos. Divida los ravioles y la espinaca uniformemente entre platos para pasta. Rocíe con el aceite de oliva restante, cubra con las nueces y ralladura de limón y sirva de inmediato.

calabazas Delicata 1 grande, de aproximadamente 750 g (1½ lb)

aceite de oliva extra virgen ¾ taza

ajo 4 dientes, machacados

tomillo fresco 4 ramas

sal de mar y pimienta molida

queso ricotta ¼ taza

queso parmesano ½ taza, recién rallado

cuadros de wonton 16

huevo 1

hojas de espinaca pequeñas 2 tazas

nueces ½ taza, tostadas y picadas

ralladura de limón amarillo de 1 limón

rinde 4 porciones

cuatro modos de preparar tartas sazonadas

tarta de jitomate y queso feta estilo griego

pasta de hojaldre 265 g (1 hoja), descongelada

jitomates cereza 1 taza, partidos a la mitad

jitomates maduros 8, finamente rebanados

queso feta 270 g (6 oz), desmoronado

orégano fresco 1 cucharada, picado

sal de mar y pimienta molida

tomillo fresco 6 ramas

rinde de 4 a 6 porciones

Precaliente el horno a 200°C (400°F). Extienda la pasta sobre una superficie ligeramente enharinada hasta dejar un rectángulo de 22 x 33 cm (9 x 13 in) y de 3 mm (⅛ in) de grueso. Corte longitudinalmente a la mitad para hacer 2 rectángulos. Pase los rectángulos a una charola para hornear con bordes. Utilizando un tenedor pique cada rectángulo uniformemente a todo lo largo. Doble hacia adentro 1 cm (½ in) de pasta por todas las orillas de cada rectángulo para crear un borde.

Acomode las mitades de jitomates cereza, rebanadas de jitomate y queso feta sobre los rectángulos de pasta. Espolvoree con orégano, sazone con sal y pimienta y cubra con las ramas de tomillo. Hornee cerca de 20 minutos, hasta que se esponje y dore. Retire del horno, corte cada tarta en 4 trozos y sirva.

tarta de ciruela y queso de cabra

pasta de hojaldre 265 g (1 hoja), descongelada

ciruelas Santa Rosa u otras ciruelas pequeñas 6, finamente rebanadas

queso de cabra fresco 270 g (6 oz), desmoronado

ralladura de limón amarillo 1 cucharada

aceite de oliva extra virgen para rociar

rinde de 4 a 6 porciones

Precaliente el horno a 200°C (400°F). Extienda la pasta, corte a la mitad y forme los bordes siguiendo las instrucciones (*receta a la izquierda*).

Acomode las rebanadas de ciruela sobre los rectángulos de pasta y espolvoree con el queso de cabra y la ralladura de limón. Hornee cerca de 20 minutos, hasta que se esponje y dore. Retire del horno y rocíe con aceite de oliva. Corte cada tarta en 4 trozos y sirva.

tarta de pera y queso gorgonzola

pasta de hojaldre 265 g (1 hoja), descongelada

peras 2, partidas a la mitad descorazonadas y finamente rebanadas

queso Gorgonzola 270 g (6 oz), desmoronado

nueces 2 cucharadas, picadas

romero fresco 1 cucharada, picado

miel de abeja 2 cucharadas

rinde de 4 a 6 porciones

Precaliente el horno a 200°C (400°F). Extienda la pasta, corte a la mitad y forme los bordes siguiendo las instrucciones (*arriba*).

Acomode las rebanadas de pera sobre los rectángulos de pasta y espolvoree con el queso Gorgonzola, las nueces y el romero. Hornee cerca de 20 minutos, hasta que se esponje y dore. Retire del horno y rocíe con la miel de abeja. Corte cada tarta en 4 trozos y sirva.

tarta de poro, pancetta y queso gruyère

aceite de oliva 2 cucharadas

poros 2, las partes blancas y verde claro, rebanados en discos

pancetta o tocino 2 rebanadas, finamente picado

pasta de hojaldre 265 g (1 hoja), descongelada

queso Gruyère ½ taza, rallado

rinde de 4 a 6 porciones

En una sartén sobre fuego medio caliente una cucharada de aceite. Añada los poros y saltee cerca de 2 minutos, hasta suavizar. Pase a un plato y reserve. En la misma sartén sobre fuego medio caliente el aceite restante. Agregue la pancetta y cocine cerca de 5 minutos, moviendo ocasionalmente, hasta dorar. Usando una cuchara ranurada pase la pancetta a un plato cubierto con toallas de papel y reserve.

Precaliente el horno a 200°C (400°F). Extienda la pasta, corte a la mitad y forme los bordes siguiendo las instrucciones (*arriba a la izquierda*).

Acomode los poros sobre los rectángulos de pasta y espolvoree con el queso Gruyère y la pancetta. Hornee cerca de 20 minutos, hasta que se esponje y dore. Retire del horno, corte cada tarta en 4 trozos y sirva.

higos asados con jamón serrano

....

albahaca fresca 112 hojas pequeñas, más las necesarias para decorar

higos negros Mission 6, partidos a la mitad

jamón *serrano* 110 g (¼ lb), finamente rebanado

aceite de oliva extra virgen ¼ taza

sal de mar y pimienta molida

rinde de 4 a 6 porciones

Precaliente un asador a fuego medio-alto y engrase la rejilla con aceite.

Coloque una hoja de albahaca sobre la parte cortada de cada mitad de higo y envuelva con una rebanada de jamón. Barnice cada higo con aceite de oliva. Ase cerca de un minuto de cada lado, hasta que estén ligeramente marcados. Espolvoree con sal y pimienta. Decore con las hojas de albahaca y sirva tibios.

melón cantaloupe con bresaola

....

melón cantaloupe 1, partido a la mitad, sin semillas ni piel y picado en cubos de 2 ½ cm (1 in)

bresaola 230 g (½ lb), finamente rebanada

hojas de perejil liso fresco ½ taza

sal de mar y pimienta molida

rinde de 4 a 6 porciones

Utilizando 36 pinchos cortos de madera para brochetas, ensarte un trozo de melón, una rebanada de *bresaola* y una hoja de perejil en cada pincho. Acomode los pinchos sobre un platón, espolvoree con sal y pimienta y sirva.

duraznos, pluots y coppa

....

duraznos 4

pluots o ciruelas 4

coppa 230 g (½ lb), finamente rebanada

sal de mar y pimienta molida

rinde de 4 a 6 porciones

Parta los duraznos a la mitad y deshuese, corte cada mitad en 6 rebanadas. Parta los pluots a la mitad y deshuese, corte cada mitad en 6 rebanadas. Acomode los duraznos, los pluots y la *coppa* sobre un platón, espolvoree con sal y pimienta y sirva.

chabacanos asados con prosciutto

....

chabacanos 12, partidos a la mitad y sin hueso

aceite de oliva extra virgen ¼ taza

prosciutto 220 g (½ lb), finamente rebanado

sal de mar y pimienta molida

hojas de menta fresca ¼ taza

rinde de 4 a 6 porciones

Precaliente un asador a fuego medio-alto y engrase la rejilla con aceite.

Barnice las mitades de chabacanos con aceite de oliva. Ase cerca de 1 ó 2 minutos de cada lado, volteando una vez, hasta que estén ligeramente marcados.

Acomode 3 ó 4 mitades de chabacanos en cada plato individual. Divida el prosciutto entre los platos y espolvoree con sal y pimienta. Decore con las hojas de menta y sirva tibios.

El fritto misto pude ser cualquier combinación de pescados, carne (incluyendo asadura), verduras o hierbas. A nosotros nos encanta esta versión hecha a base de mariscos: es visualmente espectacular, fácil de servir y perfecta para comer al aire libre.

fritto misto

. . . .

VARIACIÓN

Si usted tiene invitados quisquillosos en su fiesta, puede sustituir los mariscos por trozos de pescado sol o bacalao. Algunas veces nos gusta servirlo en tazas de plata de mint julep o vasos cubiertos con papel encerado.

Vierta el aceite en una olla ancha y gruesa hasta obtener una profundidad entre 7 y 10 cm (3 y 4 in) y caliente hasta que registre 190°C (375°F) en un termómetro para fritura profunda.

Mientras tanto, en un tazón grande mezcle la fécula con 2 cucharadas de sal. Usando sus manos pase los calamares, sardinas, callo de hacha, camarones y rebanadas de limón por la mezcla de fécula, asegurándose de que queden uniforme y ligeramente cubiertos.

Con cuidado sumerja el perejil en el aceite caliente, volteándolo con un colador con mango largo para que se cocine uniformemente. Fría cerca de 30 segundos, hasta dejar crujiente. Retire con el colador y escurra sobre toallas de papel. Repita la operación con las alcaparras.

Asegúrese de que el aceite vuelva a registrar 190°C (375°F) en el termómetro. Trabajando en tandas para evitar sobre cargar, retire un manojo grande de mariscos y de rebanadas de limón de la fécula, sacudiendo el exceso y cuidadosamente coloque en el aceite caliente. Fría de 2 a 5 minutos, dependiendo del tamaño, volteando con una espumadera de metal para freír uniformemente, hasta que los mariscos estén dorados y floten en la superficie. Usando la espumadera pase los mariscos y rebanadas de limón a toallas de papel para escurrir. Repita la operación con los mariscos y rebanadas de limón restantes. Pase a toallas de papel para escurrir.

Acomode los mariscos y las rebanadas de limón fritas sobre un platón y decore con las alcaparras, perejil y cuartos de limón fresco. Sirva de inmediato acompañando con alioli (si lo usa).

aceite vegetal para fritura profunda

fécula de maíz 1½ taza

sal de mar

calamares 450 g (1 lb), limpios, picados en anillos de 2 ½ cm (1 in) de ancho y tentáculos

sardinas pequeñas 450 g (1 lb), limpias

callo de hacha de mar 450 g (1 lb), de preferencia pescados por un buzo

camarones medianos 450 g (1 lb) preferentemente con cabeza

limones amarillos 1 finamente rebanado, más 4 partidos en cuartos

perejil liso fresco de 6 a 8 ramas, lavadas y secadas con toallas de papel

alcaparras, ½ taza, secadas con toallas de papel

Alioli (página 175) para acompañar (opcional)

rinde 6 porciones

cuatro modos de preparar cocteles de mariscos

coctel de camarones

. . . .

limón amarillo 1, partido a la mitad

cebolla 1, partida en cuartos

sal kosher

hoja de laurel 1

granos de pimienta negra 10

camarones grandes 750 g (1 ½ lb)

catsup ½ taza

rábano picante (horseradish) 1 cucharada, preparado o fresco

rebanadas de limón para acompañar

rinde de 4 a 6 porciones

Exprima el jugo de las mitades de limón en una olla llena de agua y añada las mitades de limón, cebolla, 2 cucharadas de sal, hoja de laurel, y granos de pimienta. Lleve a ebullición sobre fuego alto y, cuando suelte el hervor, reduzca el fuego a medio y deje hervir durante 5 minutos para mezclar los sabores. Agregue los camarones y cocine de 2 a 3 minutos, hasta que estén completamente opacos. Escurra y deje enfriar.

Cuando los camarones estén fríos, retire la piel pero deje la cola intacta. Usando la punta de un cuchillo filoso, retire la parte oscura que corre a través de la parte externa del camarón.

Coloque hielo en un platón grande con bordes y apile los camarones cocidos sobre el hielo. En un tazón pequeño mezcle la catsup con el horseradish hasta integrar por completo. Acompañe los camarones con la salsa del coctel y las rebanadas de limón.

ensalada de camarones, cangrejo y aguacate

. . . .

camarones cocidos y carne de cangrejo fresco en trozos 750 g (1 ½ lb) de cada uno

mango 1

aceite de oliva extra virgen, vinagre de vino de arroz y jugo de limón amarillo ¼ taza de c/u

cilantro ¼ taza, finamente picado y ramas para decorar

chile jalapeño 1, picado

chalote 1, picado

sal de mar y pimienta negra

lechuga francesa ½ cabeza

aguacate 1, picado en cubos

rebanadas de limón para acompañar

rinde de 4 a 6 porciones

Pele y pique los camarones. Revise la carne del cangrejo para que no tenga fragmentos de concha.

Pele, deshuese y pique el mango en cubos. En un tazón mezcle el mango con el aceite de oliva, vinagre, jugo de limón, cilantro, jalapeño y chalote. Sazone al gusto con sal y pimienta. Añada los camarones y la carne de cangrejo y mezcle hasta integrar.

Ralle finamente la lechuga y coloque en 4 ó 6 vasos transparentes. Cubra con la mezcla de camarones y carne de cangrejo. Usando una cuchara agregue cubos de aguacate y decore con las rebanadas de limón y las ramas de cilantro. Sirva de inmediato.

canapés de cangrejo y pepino

....

carne de cangrejo fresco en trozos 450 g (1 lb)

mayonesa ¼ taza

apio 1 tallo, picado en cubos pequeños

cebollín fresco 1cucharada, cortado con tijeras

chalote 1, finamente picado

jugo de limón amarillo de ½ limón

sal de mar

pepino inglés 1

páprika ¼ cucharadita

eneldo o flores de hinojo para decorar (opcional)

rinde de 4 a 6 porciones

En un tazón mezcle la carne de cangrejo con la mayonesa, apio, cebollín, chalote, jugo de limón y sal al gusto.

Parta los pepinos diagonalmente en rebanadas delgadas. Coloque una cucharada de la mezcla de cangrejo sobre cada rebanada de pepino, espolvoree con páprika y decore con las flores (si lo desea). Acomode sobre un platón y sirva de inmediato.

ensalada de camarones y hierbas de canónigo

....

rábanos Watermelon o alargados 1

yogurt natural ¼ taza

mayonesa 3 cucharadas

mostaza dijon 4½ cucharaditas

ralladura y jugo de limón amarillo de 1 limón

cebollín fresco 2 cucharadas, cortado con tijeras

camarones 230 g (½ lb), cocidos

carne de cangrejo fresco en trozos 230 g (½ lb)

hierbas de canónigo 170 g (6 oz)

rinde de 4 a 6 porciones

Utilizando una mandolina rebane finamente el rábano. Reserve.

En un tazón pequeño prepare el aderezo mezclando el yogurt con la mayonesa, mostaza, ralladura y jugo de limón y cebollín.

Pele los camarones, dejando la cola intacta. Revise la carne del cangrejo para que no tenga fragmentos de concha.

Divida las hierbas de canónigo entre 4 ó 6 platos individuales para ensalada, cubra cada porción con la misma cantidad de camarones, cangrejo y rebanadas de rábano. Rocíe con el aderezo y sirva de inmediato.

Estas son las botanas perfectas para una reunión familiar o una fiesta grande. Servimos estos camarones para 50 amigos una noche ¡y a todos les encantaron! Coloque los mariscos en un platón grande para que los invitados puedan seguir comiendo.

camarones sal y pimienta

· ·

granos de pimienta Sichuan, rosa y negra 1 cucharadita de la mezcla

camarones con su cáscara 900 g (2 lb)

sal de mar

aceite vegetal 2 cucharadas

ajo 4 dientes, finamente picados

rebanadas de limón amarillo para acompañar

rinde de 6 a 8 porciones

Utilizando un mortero o molcajete y su mano muela finamente los granos de pimienta.

En un tazón mezcle los camarones, la mitad de los granos de pimienta y una cucharadita de sal. Reserve.

Caliente un wok sobre fuego alto y agregue el aceite. Añada el ajo, granos de pimienta restantes y una cucharadita de sal; cocine moviendo durante un minuto. Agregue los camarones y cocine de 3 a 4 minutos, hasta que estén completamente opacos. Sirva de inmediato acompañando con las rebanadas de limón. Coloque un tazón pequeño o plato a un lado para que desechen las cáscaras de camarón.

Aquí les mostramos otro magnífico platillo en donde tiene que utilizar la mejor calidad en todos los ingredientes. Asegúrese de comprar camarones de excelente calidad. Para una fiesta grande, nos gusta servir los camarones en una tabla o platón grande forrado con papel encerado.

calamares sal y pimienta

· ·

calamares miniatura 1 ½ kg (3 lb) enteros o 1 kg (2 lb) limpios

granos de pimienta negra ½ cucharadita

granos de pimienta Sichuan ½ cucharadita

sal de mar

aceite vegetal 2 cucharadas

cebollitas de cambray 2, finamente rebanadas

hojuelas de chile rojo ½ cucharadita (opcional)

rebanadas de limón amarillo para acompañar

rinde de 6 a 8 porciones

Si compra los calamares enteros, limpie según las instrucciones (página 250), corte en anillos de 1 cm (½ in) de ancho y los tentáculos en trozos del tamaño de un bocado. Si los compra limpios, simplemente corte los cuerpos y tentáculos como se indica con anterioridad.

Utilizando un mortero o molcajete y su mano muela finamente los granos de pimienta.

En un tazón mezcle los calamares, mezcla de granos de pimienta y una cucharadita de sal. Reserve.

Caliente un wok sobre fuego alto y agregue el aceite. Añada los calamares y cocine durante 1 ó 2 minutos, mezclando hasta que estén completamente opacos. Pase a un platón de servicio, mezcle con las cebollitas y espolvoree con las hojuelas de chile (si las usa). Sirva de inmediato acompañando con las rebanadas de limón.

SERVICIO DE BANQUETES

Algunas veces servimos este platillo en cucuruchos de papel, un perfecto estilo casual para servir a una multitud en un coctel al aire libre.

Langosta significa verano para nosotros. Esta variación estilizada de los emparedados de langosta es fantástica para presentar como botana, pero también es muy práctica para un día de campo ¡acompañando con sus papas fritas favoritas! Sólo añada una botella de vino rosado bien frío a su canasta y estará llevando alegría pura.

bollos de langosta

. . . .

VARÍE DE RELLENO

A menudo preparamos pequeños emparedados con diferentes rellenos para un día de campo. De alguna forma su tamaño pequeño los hace más atractivos. Otros de nuestros rellenos favoritos son pechuga de pollo rostizado con arúgula en bollos untados con mantequilla de hierbas y verduras mixtas asadas en panes untados con alioli. También puede variar el tamaño. Utilice 4 panes brioche de tamaño estándar y sirva este platillo como plato principal para 4 personas.

Para retirar la carne de la langosta, gire y separe las tenazas del cuerpo. Utilizando unas pinzas para langosta o un martillo rompa el caparazón de cada tenaza y retire la carne. Utilizando un cuchillo grande y filoso corte la langosta longitudinalmente de la cabeza a la cola. Deseche la parte oscura que corre a lo largo del cuerpo y el saco pequeño de arena de la base de la cabeza. Retire la carne del cuerpo y cola. Gire y separe las piernas pequeñas en donde se unen al cuerpo para buscar más trozos de carne. Pique la carne de langosta en trozos de 1 cm (½ in).

En un tazón mezcle la carne de langosta con la mayonesa, crème fraîche, apio, chalote, pepinillos, estragón y ralladura de limón. Mezcle con cuidado para integrar y sazone al gusto con sal y pimienta. Refrigere hasta el momento de usar.

Caliente una sartén grande o un comal sobre fuego medio. Engrase con mantequilla ambos lados del pan. Coloque los bollos, con la mantequilla hacia abajo, en la sartén y tueste cerca de un minuto, hasta dorar ligeramente. Pase los bollos a una superficie de trabajo y coloque 3 cucharadas de la mezcla de langosta en la base de cada bollo. Agregue unas hojas de lechuga Bibb. Cubra con las tapas, asegure con palillos si lo desea y sirva de inmediato.

langosta recién cocida
1 (de aproximadamente 1 kg/2 lb; cerca de 500 g/½ lb de carne)

mayonesa 2 cucharadas

crème fraîche 2 cucharadas

apio 2 cucharadas, finamente picado

chalote 1 cucharada, picado

pepinillos tipo cornichons 2, finamente picados

estragón fresco 1½ cucharadita, finamente picado

ralladura de limón amarillo ½ cucharadita

sal de mar y pimienta molida

mantequilla sin sal 1 cucharada, a temperatura ambiente

bollos de brioche pequeños 8, partidos a la mitad

lechuga mantequilla o Bibb 1 cabeza pequeña

rinde 8 porciones

cuatro modos de preparar pescados crudos

ceviche de huachinango

....

filete de huachinango 450 g
(1 lb), sin piel

jugo de limón fresco ½ taza

jugo de naranja fresco
½ taza

sal de mar

cebolla morada ½, finamente
rebanada

chile jalapeño rojo
1 pequeño, finamente
rebanado

papaya ½, picada en cubos
de 1 cm
(½-in)

aceite de oliva extra virgen
1 cucharada

perejil liso fresco
1 cucharada, picado

**rinde de 4 a 6
porciones**

Enfríe de 4 a 6 tazones de servicio
individuales.

Utilizando un cuchillo filoso rebane el
pescado en trozos de 1 cm (½ in). En
un tazón grande de vidrio mezcle el
pescado con los jugos de limón y naranja.
Espolvoree con la sal. Refrigere cerca de
50 minutos, moviendo de vez en cuando,
hasta que el pescado esté opaco.

Escurra la mayoría de líquido del pescado.
Regrese el pescado al tazón e incorpore la
cebolla, chile y papaya. Sazone al gusto
con sal y rocíe con el aceite de oliva.

Para servir, divida el ceviche
uniformemente entre los tazones fríos y
decore con el perejil.

atún aleta amarilla con aguacate y albahaca

....

**filete de atún aleta
amarilla con calidad
sushi** 220 g (½ lb)

aguacate 1, finamente
rebanado

**aceite de oliva extra
virgen**
1 cucharada

**jugo de limón amarillo
fresco**
de 1 limón

sal de mar

**hojas de albahaca
fresca, de preferencia
tai** 8, picadas finamente
en juliana

**rinde de 4 a 6
porciones**

Enfríe de 4 a 6 platos de servicio.

Utilizando un cuchillo filoso retire los
nervios y la piel del filete de atún aleta
amarilla y corte en rebanadas diagonales
de 3 mm (⅛ in) de grueso, para obtener 6
rebanadas para cada porción.

Para servir, acomode el atún y las
rebanadas de aguacate en los platos de
servicio fríos y rocíe con el aceite de oliva
y jugo de limón. Sazone al gusto con sal y
decore con la albahaca.

tártara de atún con ajonjolí

filete de atún calidad sushi
350 g (¾ lb)

jengibre fresco ½ cucharadita, picado

salsa de soya reducida en sodio 1 cucharada

aceite de ajonjolí tostado
1 cucharada

jugo de limón fresco
1½ cucharadita

chile jalapeño 1 pequeño, finamente picado

cebollín fresco 1 cucharada, cortado finamente con tijeras

semillas de ajonjolí negras
1 cucharada

rinde de 4 a 6 porciones

Enfríe de 4 a 6 tazones pequeños de servicio o vasos.

Utilizando un cuchillo muy filoso retire los nervios y la piel del filete de atún. Corte el atún en trozos de 6 mm (¼ in) y coloque en un tazón. Agregue el jengibre, salsa de soya, aceite de ajonjolí, jugo de limón y chile y mezcle hasta integrar.

Para servir, divida el atún entre los tazones de servicio fríos, decore con el cebollín y espolvoree con las semillas de ajonjolí.

salmón silvestre con limón y menta

filete de salmón silvestre 230 g (½ lb), sin piel

limones amarillos 2

aceite de oliva extra virgen
1 cucharada

sal de mar

granos de pimienta roja ½ cucharadita, machacados

menta fresca 1 cucharada, picada en juliana

rinde de 4 a 6 porciones

Enfríe de 4 a 6 platos de servicio.

Utilizando un cuchillo muy filoso retire los nervios del filete de salmón y corte en rebanadas diagonales de 3 mm (⅛ in) de grueso, para obtener 6 rebanadas por porción.

Parta uno de los limones en rebanadas tan delgadas como una hoja de papel y exprima el jugo del otro limón. Para servir acomode las rebanadas de salmón en los platos fríos, colocando las rebanadas de limón entre las rebanadas de salmón. Rocíe el pescado con el aceite de oliva y el jugo de limón, sazone al gusto con sal, espolvoree con los granos de pimienta y decore con la menta.

croquetas de jamón y queso manchego

mantequilla sin sal 4 cucharadas

ajo 1 diente, finamente picado

harina 1 taza

leche 1 taza

sal de mar y pimienta molida

queso manchego español 1 taza, rallado

jamón serrano ½ taza, finamente picado

cebollín fresco 1 cucharada, cortado finamente con tijeras

huevos 2, batidos

migas de pan fresco 2 tazas

aceite de canola 1 taza

rinde 14 croquetas

En una olla sobre fuego medio derrita la mantequilla. Agregue el ajo y saltee cerca de un minuto, hasta que aromatice. Añada ½ taza de harina y, utilizando una cuchara de madera, incorpore la harina con la mantequilla hasta que se forme una bola. Lentamente agregue la leche, moviendo continuamente. Sazone con sal y pimienta. Retire del fuego e incorpore el queso, jamón y cebollín. La pasta deberá estar muy espesa. Pase a un recipiente con tapa y refrigere por lo menos durante 2 horas.

Enharine ligeramente una superficie de trabajo. Retire la mezcla del refrigerador y, usando las palmas de sus manos, haga un tronco de 2 ½ cm (1 in) de diámetro. Corte en 2 trozos de 5 cm (2 in) de largo y coloque sobre una charola para hornear ligeramente enharinada.

Cubra una charola para hornear con papel encerado. En 3 tazones separados coloque ½ taza de harina, huevos batidos y migas de pan.

Trabajando con 4 piezas a la vez, coloque en la harina y mezcle para cubrir, sacudiendo el exceso. Pase a la mezcla de huevo y cubra uniformemente. Por último, pase por las migas de pan y mezcle para cubrir, sacudiendo el exceso una vez más. Usando sus manos, forme las *croquetas* en bolas o en forma de salchichas. Coloque sobre la charola preparada, cubra y refrigere cerca de 30 minutos, hasta que estén firmes.

Precaliente el horno a 175°C (350°F). En una sartén grande sobre fuego medio-alto caliente el aceite hasta que brille. Trabajando en tandas para impedir sobrecargar, fría las croquetas con cuidado de 3 a 4 minutos, volteando una sola vez con ayuda de una espátula, hasta dorar. Usando una cuchara ranurada pase a toallas de papel para escurrir. Repita la operación con las *croquetas* restantes. Regrese las croquetas a la charola para hornear y hornee cerca de 3 minutos, hasta que estén bien calientes. Sirva de inmediato.

croquetas de hongos silvestres

queso Gruyère 1 taza, finamente rallado

hongos porcini secos 1 cucharada, finamente picados

perejil liso fresco 1 cucharada, finamente picado

rinde 14 croquetas

Prepare la receta como se explica arriba, omitiendo el jamón y el cebollín y sustituyendo el queso Manchego por Gruyère. Incorpore los hongos porcini picados y el perejil con el queso. Continúe como se indica.

croquetas de páprika ahumada y jamón

páprika ahumada 1½ cucharadita

queso Fontina 1 taza, finamente rallado

rinde 14 croquetas

Prepare la receta como se explica arriba, incorporando la páprika después de saltear el ajo y sustituyendo el queso Manchego por el Fontina. Continúe como se indica.

pan plano catalán con tres cubiertas

masa para pan plano

levadura instantánea seca en polvo 2½ cucharaditas

harina para pan (leudante) 2 tazas más 3 cucharadas

agua tibia ¾ taza

sal de mar ½ cucharadita

cornmeal o polenta 2 cucharadas

aceite de oliva extra virgen para rociar

la cubierta de su gusto (*receta inferior derecha*)

rinde 4 panes planos

En un tazón integre la levadura con ¼ taza de harina y el agua tibia. Deje reposar cerca de 5 minutos, hasta que espume. En un procesador de alimentos mezcle la harina restante con la sal y mezcla de levadura. Procese cerca de 45 segundos, hasta que la mezcla se una en una masa. Pase a un tazón, cubra con plástico adherente y deje esponjar en un lugar tibio durante una hora.

Precaliente el horno a 275°C (450°F). En una superficie enharinada amase la pasta de 5 a 8 minutos, hasta que esté tersa y elástica. Divida en 4 porciones iguales. Usando sus manos, forme una bola con cada porción. Extienda cada bola haciendo una tira de aproximadamente 5 x 23 cm (2 x 10 in). Pique uniformemente con ayuda de un tenedor. Repita la operación las demás bolas de masa.

Pase las tiras de masa a 2 charolas para hornear espolvoreadas con cornmeal. Rocíe con aceite de oliva y termine con la cubierta de su elección.

cubierta de jitomate y queso de cabra

masa de pan plano (*izquierda*)

jitomates cereza 2 tazas

orégano fresco 1 cucharada, finamente picado

queso de cabra fresco 150 g (5 oz), desmoronado

sal de mar y pimienta molida

rinde para 4 panes planos

Prepare la masa de pan plano como se indica.

Hornee los panes cerca de 8 minutos, hasta que estén crujientes. Esparza los jitomates, orégano, y queso uniformemente sobre los panes. Sazone con sal y pimienta. Regrese al horno y hornee cerca de 3 minutos más, hasta dorar. Retire del horno y sirva de inmediato.

cubierta de achicoria y queso fontina

masa de pan plano (*arriba*)

achicoria 1 cabeza

aceitunas verdes 12, deshuesadas y toscamente picadas

queso Fontina ½ taza, toscamente rallado

sal de mar y pimienta molida

aceite de oliva extra virgen para rociar

rinde para 4 panes planos

Prepare la masa de pan plano como se indica y reserve para que esponje.

Mientras tanto, corte la achicoria longitudinalmente en 8 trozos, asegurándose de que a cada trozo le quede un poco del tallo. Precaliente un asador a fuego medio-alto y engrase la rejilla con aceite. Ase los trozos de achicoria durante 1 ó 2 minutos por lado, volteando una sola vez, hasta que se quemen ligeramente. Reserve.

Dé forma a los panes y hornee cerca de 8 minutos, hasta que estén crujientes. Esparza la achicoria, aceitunas y queso uniformemente sobre los panes. Regrese al horno y hornee 3 minutos más, hasta dejar crujientes. Retire del horno, sazone con sal y pimienta y rocíe con aceite de oliva. Sirva de inmediato.

cubierta de prosciutto y arúgula

masa de pan plano (*arriba a la izquierda*)

prosciutto 170 g (6 oz), finamente rebanado

queso parmesano 2 tazas, en hojuelas

hojas de arúgula 2 tazas

sal de mar y pimienta molida

aceite de oliva extra virgen, para rociar

rinde para 4 panes planos

Prepare la masa de pan plano como se indica. Hornee los panes de 10 a 12 minutos, hasta que estén crujientes y dorados. Retire del horno y esparza el prosciutto, parmesano y arúgula sobre el pan. Sazone con sal y pimienta, rocíe con aceite de oliva y sirva de inmediato.

aguacate, albahaca y jitomate

....

pan baguette 1 delgada

aceite de oliva extra virgen
4 cucharadas

aguacates 2

jugo de limón amarillo fresco
½ limón

jitomates miniatura heirloom 250 g (8 oz)

albahaca de arbusto
4 ramas

sal de mar y pimienta molida

rinde 8 porciones

Coloque la rejilla del horno en el tercio inferior del horno y precaliente el asador del horno.

Para preparar los crostini, corte el pan diagonalmente en rebanadas de 6 mm (¼ in). Acomode las rebanadas sobre una charola para hornear y rocíe con 2 cucharadas de aceite de oliva. Ase cerca de 2 minutos por lado, volteando una vez, hasta dorar.

En un tazón mezcle los aguacates y el jugo de limón y machaque ligeramente con ayuda de un tenedor para hacer un unto rústico. Divida la mezcla de aguacate uniformemente sobre los crostini. Cubra cada uno con algunas mitades de jitomate y hojas de albahaca. Rocíe con 2 cucharadas de aceite de oliva y espolvoree con sal y pimienta. Sirva de inmediato.

nectarina y prosciutto

....

crostini *(izquierda)*

nectarinas 4, partidas a la mitad y sin hueso

prosciutto 220 g (½ lb), finamente rebanado

aceite de oliva extra virgen
2 cucharadas

sal de mar y pimienta molida

rinde 8 porciones

Prepare los crostini como se indica.

Utilizando una mandolina parta las mitades de nectarina en rebanadas delgadas. Coloque alternadamente rebanadas dobladas de nectarina y prosciutto en cada crostini. Rocíe con aceite de oliva. Espolvoree con sal y pimienta. Sirva de inmediato.

haba verde, queso de cabra y menta

....

crostini *(receta página anterior a la izquierda)*

habas verdes 220 g (½ lb), sin su vaina exterior

queso de cabra fresco 140 g (5 oz)

menta fresca 2 cucharadas, picada, más hojas pequeñas para decorar

cebollín fresco 1 cucharada, cortado finamente con tijeras

aceite de oliva extra virgen 2 cucharadas

sal de mar y pimienta molida

rinde 8 porciones

Prepare los crostini como se indica.

Hierva agua salada en una olla sobre fuego alto. Mientras tanto, prepare un tazón grande con agua con hielos. Blanquee las habas en el agua hirviendo durante un minuto. Escurra y pase al tazón con el agua helada. Cuando las habas estén frías, use sus dedos para retirar sus cubiertas. Reserve.

En un tazón pequeño desmorone el queso de cabra. Incorpore la menta y el cebollín. Unte el queso uniformemente sobre los crostini y acomode unas pocas habas sobre cada uno de ellos. Rocíe con aceite de oliva, espolvoree con sal y pimienta y decore con hojas de menta. Sirva de inmediato.

higo, queso gorgonzola y arúgula

....

crostini *(receta página anterior a la izquierda)*

queso Gorgonzola 220 g (½ lb)

higos 8, finamente rebanados

hojas de arúgula miniatura ½ taza

aceite de oliva extra virgen 2 cucharadas

sal de mar y pimienta molida

rinde 8 porciones

Prepare los crostini como se indica.

Unte el queso Gorgonzola uniformemente sobre cada crostini. Cubra con unas rebanadas de higo y un poco de arúgula. Rocíe con aceite de oliva y espolvoree con sal y pimienta. Sirva de inmediato.

albóndigas de pollo con salsa de jengibre y lemongrass

pollo molido 450 g (1 lb)

salsa de soya 1 cucharada

salsa de pescado asiática 1 cucharada

lemongrass 1 cucharada, sólo la parte blanca, picado

cilantro 1 cucharada, picado

jengibre fresco ½ cucharada, rallado

ajo 1 diente, finamente picado

sal de mar y pimienta molida

aceite de uva ¼ taza

hojas de lechuga 14 pequeñas

cebollitas de cambray 4, finamente rebanadas

limones 2, partidos en rebanadas

rinde 14 albóndigas

Precaliente el horno a 170°C (350°F). Engrase ligeramente con aceite una charola para hornear.

En un tazón mezcle el pollo, salsa de soya, salsa de pescado, lemongrass, cilantro, jengibre y ajo. Sazone con sal y pimienta y mezcle hasta integrar por completo. Forme bolas de 2 ½ cm (1 in) de diámetro y coloque en la charola preparada.

Caliente una sartén grande sobre fuego medio. Añada el aceite y caliente hasta que esté brillante. Agregue las albóndigas y fría cerca de 5 minutos, volteando para dorar uniformemente por todos lados. Escurra sobre toallas de papel. Regrese las albóndigas a la charola para hornear y hornee de 3 a 5 minutos, hasta que estén completamente cocidas. Sazone con sal y pimienta.

Cubra un platón con las hojas de lechuga y acomode las albóndigas calientes sobre ellas. Decore con las cebollitas de cambray y los limones.

CÁMBIELE EL SABOR

Estas dos recetas de albóndigas ponen de relieve los sabores asiáticos y españoles, pero nuestras albóndigas con inspiración griega es otra de nuestras recetas favoritas. Mezclamos 220 g (1/2lb) de cordero con un diente de ajo picado, una cucharada de orégano fresco picado y 1/2 taza de queso feta desmoronado. Para la salsa, molemos en la licuadora 1/4 taza tanto de perejil como de menta fresca, un diente de ajo, 1/4 taza de nueces, un filete de anchoa y 1/2 taza de aceite de oliva.

albóndigas españolas con chorizo y páprika

leche 2 cucharadas

pan duro ½ rebanada

chorizo fresco y carne de puerco molida 220 g (½ lb) de cada uno

perejil liso fresco 2 cucharadas, picado

páprika dulce 1 cucharadita

huevo 1, batido

sal de mar y pimienta molida

harina 2 cucharadas

aceite de oliva extra virgen ¼ taza más el necesario para rociar

rinde 14 albóndigas

Precaliente el horno a 170°C (350°F). Engrase ligeramente con aceite una charola para hornear.

En un tazón vierta la leche sobre el pan y permita que se remoje durante un minuto. Retire la cubierta del chorizo. En un tazón mezcle el pan remojado, carne de puerco, chorizo, perejil, páprika y huevo. Sazone generosamente con sal y pimienta. Utilizando sus manos mezcle hasta integrar por completo. Forme bolas de 2 1/2 cm (1 in) de diámetro y espolvoree las bolas con harina. Pase a la charola preparada y reserve.

En una sartén grande sobre fuego medio, caliente 1/4 taza de aceite de oliva. Añada las albóndigas y fría cerca de 5 minutos en total, volteando para dorar uniformemente por todos lados. Escurra sobre toallas de papel. Regrese las albóndigas a la charola para hornear y hornee de 3 a 5 minutos, hasta que estén completamente cocidas. Sazone con sal y pimienta.

Acomode las albóndigas calientes sobre un platón y rocíe con aceite de oliva. Sirva de inmediato con la salsa de piquillos (*derecha*).

A UN LADO

Prepare una rápida salsa de remojo de piquillos para acompañar estas albóndigas. En un procesador de alimentos procese 1/4 taza de pimientos del piquillo en conserva con un diente de ajo hasta obtener una pasta espesa. Con el motor encendido, gradualmente vierta 1/4 taza de aceite de oliva hasta emulsionar por completo. Pase a un tazón e integre 1/4 taza de perejil liso fresco.

sopas y ensaladas

Una vez, en un restaurante nos sirvieron la sopa en una demitasse (taza pequeña de café). Pensamos que era una linda presentación, pero en casa no teníamos ese tipo de taza. Sin embargo, teníamos unas preciosas tazas para té, así que copiamos la idea y servimos la sopa en unas originales tazas. Estamos siempre en la búsqueda de nuevas ideas.

Aquí presentamos nuestra versión de un tradicional guiso italiano de verduras. La palabra *vignole* significa "una celebración de primavera", por lo que nos gusta añadir cualquier verdura primaveral que encontremos. También es deliciosa con una cucharada de Salsa Verde Española (página 249) o cubierto con un Pesto (página 143).

sopa vignole

· ·

SÍRVALA CON

Esta sazonada y caldosa sopa es deliciosa con un pan campestre, ya sea una baguette o una barra de pan pugliese. O, acompañe con crostini sazonados y un postre de fruta para una comida o cena primaveral. La sopa pide un vino italiano. Pruebe un Sangiovese si desea un tinto natural, o un Vermentino si prefiere un vino blanco vivo y ligero.

Prepare las alcachofas (página 250) cortando cada tallo alineado a su base. Llene una olla con tres cuartas partes de agua salada. Añada las alcachofas y el tomillo y lleve a ebullición sobre fuego medio-alto. Cocine cerca de 10 minutos, hasta que las alcachofas estén suaves. Retire del fuego y deje enfriar en el agua. Escurra y parta longitudinalmente a la mitad. Usando un cuchillo mondador raspe y retire la pelusilla que tienen en el centro. Reserve.

En una olla sobre fuego alto ponga a hervir agua con sal. Mientras tanto, prepare un tazón grande con agua con hielo. Blanquee las habas verdes con su piel en el agua hirviendo durante un minuto. Escurra y pase al tazón con agua con hielos. Cuando las habas estén frías, use sus dedos para retirar la piel. Reserve con las alcachofas.

Corte los poros en rodajas de 2 ½ cm (1 in) y enjuague perfectamente en agua fría para retirar cualquier arenilla.

En una olla grande sobre fuego medio caliente el aceite de oliva. Añada los poros, cebollitas de cambray y prosciutto; saltee cerca de 3 minutos, hasta que el prosciutto esté ligeramente dorado. Añada el caldo de pollo y lleve a ebullición. Agregue la acelga, acedera, espinaca, chícharos, alcachofas y habas verdes. Deje hervir lentamente de 3 a 4 minutos, hasta que las verduras estén de color verde brillante y los chícharos floten en la superficie.

Sazone al gusto con sal y pimienta, incorpore las hojas de menta y sirva.

alcachofas miniatura 8

tomillo fresco 4 ramas

habas verdes 1 ½ kg (3 lb), sin las vainas

poros 8 pequeños, la parte blanca y verde claro

aceite de oliva extra virgen 2 cucharadas más el necesario para rociar

cebollitas de cambray 1 manojo, picadas

prosciutto 6 rebanadas, en tiras de 1 cm (½ in) de ancho

caldo de pollo 6 tazas

acelgas 1 taza, picadas

hojas de acedera 1 taza, picadas

hojas de espinaca miniatura 1 taza

chícharos frescos o congelados precocidos 1 taza, descongelados

sal de mar y pimienta molida

hojas de menta fresca ½ taza compacta

rinde de 6 a 8 porciones

Ésta es la perfecta sopa reconfortante ideal para cualquier ocasión, ya sea para una comida tranquila después de la temporada de fiestas, o cuando se le antoja una comida ligera y sencilla con amigos íntimos. Nos gusta exprimir un limón fresco justo antes de comerla para refrescar su sabor.

sopa de pollo escalfado con limón y espinaca

pollo entero 1, aproximadamente de 1 ½ kg (3 ½ lb)

jengibre fresco trozo de 2 ½ cm (1 in), más un trozo de 5 cm (2 in), picado finamente en juliana, para decorar (opcional)

cebolla 1 sin pelar, sin raíz, partida a la mitad

apio 2 tallos, partidos en cuartos

zanahorias 2 grandes, partidas en cuartos

perejil liso fresco 1 manojo con tallos

tomillo fresco 2 ramas

granos de pimienta negra 1 cucharadita

hojas de laurel 1 pequeña

sal de mar

hojas de espinaca miniatura 1 taza, finamente picadas

rebanadas de limón de 6 a 8

salsa Sriracha de chile y ajo 2 cucharadas

rinde de 6 a 8 porciones

Coloque el pollo en una olla para preparar caldos. Añada un trozo de 2 ½ cm (1 in) de jengibre, cebolla, apio, zanahoria, perejil, tomillo, granos de pimienta, hoja de laurel y una cucharadita de sal. Llene la olla con agua fría hasta cubrir los ingredientes y dejar un remanente de 5 cm (2 in). Lleve a ebullición sobre fuego alto e inmediatamente redúzcalo para hervir a fuego lento. De vez en cuando retire la espuma de la superficie, hierva durante 1 ½ hora, hasta que al picar la parte más gruesa del muslo salga un jugo claro.

Retire el pollo de la olla y pase a un plato. Deje enfriar; usando una coladera cuele el caldo desechando los sólidos. Acomode un trapo de manta de cielo en 2 capas sobre el colador. Cuele el caldo a través del trapo para retirar la grasa. Enjuague la olla y regrese el caldo a la olla.

Una vez que el pollo se haya enfriado completamente para poder tocarlo, use sus dedos para retirar y deshebrar la carne, desechando la piel y los huesos. Agregue la carne deshebrada a la olla con el caldo y añada los jugos que hayan quedado en el plato. Sazone al gusto con sal. Lleve a ebullición, agregue la espinaca y mezcle, hierva sólo hasta que se marchite.

Apague el fuego. Con un cucharón pase la sopa a tazones individuales y decore con la juliana de jengibre (si la usa). Sirva de inmediato con las rebanadas de limón y la salsa Sriracha.

ACOMPAÑE CON

Saturada de proteína y hortalizas, esta sopa es un alimento completo. Nos gusta acompañarla con una barra de pan, una garrafa de vino y un postre de chocolate.

CÁMBIELA

Usted también puede sustituir la espinaca por hortalizas verdes apimentadas como la arúgula y el berro o brotes de chícharo suave en primavera. Busque en el mercado asiático de su localidad alguna hortaliza inusual para probar en esta sopa.

cuatro modos de preparar sopas frías

sandía con chile y limón

. . . .

sandía sin semilla
4 tazas, en trozos

chile jalapeño 1 grande

cebollitas de cambray
3, finamente rebanadas

**ralladura y jugo de
limón** de 1 limón

hojas de menta fresca
½ taza compacta más las
necesarias para decorar

vinagre de arroz 2
cucharadas

**sal de mar y pimienta
molida**

rinde 4 porciones

Utilizando un cuchillo filoso pique finamente
¼ taza de sandía en cubos pequeños y
reserve para decorar. Corte 8 rebanadas
delgadas del chile y reserve para decorar.
Retire las semillas y pique finamente el chile
restante.

En un tazón grande mezcle la sandía restante,
chile picado, dos terceras partes de las
cebollitas, ralladura y jugo de limón, menta y
vinagre. Mezcle hasta integrar.

Trabajando en tandas, pase la sopa a la
licuadora y muela hasta obtener un puré
terso. Sazone al gusto con sal y pimienta.
Pase a un recipiente hermético y refrigere por
lo menos durante una hora, hasta que esté
bien fría. Usando un cucharón pase a tazones
fríos, decore con los cubos de sandía y las
rebanadas de chile, cebollitas restantes y
algunas hojas de menta y sirva.

chícharo con menta

. . . .

**aceite de oliva extra
virgen**
2 cucharadas

chalotes 2, finamente
picados

chícharos frescos 450 g
(1 lb), sin vaina y ½ taza
blanqueados

caldo de verdura 6
tazas

hojas de menta fresca
¼ taza ligeramente
compacta

**sal de mar y pimienta
molida**

crème fraîche 6
cucharaditas (opcional)

zarcillos de chícharos
para decorar (opcional)

rinde 6 porciones

En una olla grande sobre fuego medio
caliente el aceite de oliva. Agregue los
chalotes y cocine de 2 a 3 minutos, moviendo,
hasta que estén suaves pero no dorados.
Añada los chícharos no blanqueados y saltee
durante 2 minutos. Integre el caldo y lleve a
ebullición. Cuando suelte el hervor reduzca el
fuego y deje hervir a fuego lento durante 5
minutos. Retire del fuego y deje enfriar
ligeramente, agregue las hojas de menta.
Mientras tanto, prepare un tazón con agua y
hielos.

Trabajando en tandas, pase la sopa a una
licuadora y muela hasta obtener un puré terso.
Pase a un tazón y sazone al gusto con sal y
pimienta. Coloque el tazón sobre el agua con
hielos para enfriar, moviendo de vez en cuando.
Una vez frío tape y refrigere hasta el momento
de usar. Usando un cucharón pase a tazas frías,
decore con los chícharos blanqueados. Añada
la crème fraîche y los zarcillos de chícharos (si
los usa), sirva.

jitomates heirloom con pepino

pepino inglés 1

jitomates heirloom maduros
1 ½ kg (3 lb)

pimiento verde 1

cebollitas de cambray
4, finamente picadas

ajo 1 cucharada, finamente picado

aceite de oliva extra virgen
⅓ taza

vinagre de jerez 1 cucharada

sal de mar y pimienta molida

vodka 1 cucharada, frío (opcional)

salsa Tabasco

rinde 6 porciones

Pele y pique toscamente el pepino. Pique el jitomate y el pimiento. Reserve 2 cucharadas de los jitomates, pimiento, y pepino, más una cucharada de cebollitas finamente picadas para decorar. En un tazón grande mezcle las verduras restantes con el ajo, aceite de oliva y vinagre. Sazone al gusto con sal y pimienta.

Trabajando en tandas, pase la sopa a una licuadora y muela hasta obtener un puré terso. Añada el vodka (si lo usa) y pulse para mezclar. Pruebe y añada más vodka si lo desea. Sazone una vez más con sal y pimienta. Pase a un recipiente con tapa y refrigere por lo menos durante una hora, hasta que esté bien fría. Incorpore la salsa Tabasco al gusto y sirva en vasos fríos. Decore con los jitomates, cebollitas, pimiento y pepino reservados.

coliflor al curry con almendras

coliflor 1 cabeza grande

aceite de oliva extra virgen
2 cucharadas

manzana Granny Smith
1, sin piel y finamente rebanada

cebolla ½, finamente picada

curry Madrás en polvo
2 cucharadas

caldo de verdura 4 tazas

leche 2 tazas

yogurt estilo griego ½ taza

almendras en hojuelas
½ taza, tostadas

ramas pequeñas de cilantro con sus flores (si las hubiera) ¼ taza

rinde 8 porciones

Pique la coliflor en flores. En una olla grande sobre fuego medio mezcle la coliflor, aceite de oliva, manzana, cebolla y curry en polvo. Saltee durante 5 minutos, tape y cocine al vapor durante 5 minutos más, moviendo continuamente. Destape, agregue el caldo, suba el fuego a alto y lleve a ebullición. Añada la leche, reduzca el fuego y hierva a fuego lento durante 10 minutos.

Mientras tanto, prepare un tazón grande con agua y hielos. Pase la mitad de la sopa a una licuadora y agregue la mitad del yogurt. Licue hasta obtener una mezcla tersa. Vierta sobre un colador de malla fina colocado sobre un tazón. Muela la sopa y el yogurt restantes. Coloque el tazón sobre el agua con hielos para enfriar, moviendo de vez en cuando. Una vez fría, tape y refrigere hasta el momento de usar. Para servir pase a tazas frías con ayuda de un cucharón y decore con las almendras y ramas de cilantro.

Hay dos tipos principales de pérsimos o caquis: el Fuyu y el Hachiya. Nosotros tendemos a usar los Fuyu, que son más dulces y los cuales están aún firmes cuando están maduros y pueden rebanarse muy finamente. Los Hachiya deben estar bastante suaves antes de que se puedan comer, haciéndolos difíciles de rebanar.

ensalada de endivia con pérsimos y granada roja

endivias rojas o blancas belgas 4 cabezas

granada roja 1 grande

pérsimos maduros Fuyu 2

queso feta 220 g (½ lb), desmoronado

aceite de oliva extra virgen ½ cucharadita más ½ taza

pistaches ¾ taza, tostados y picados toscamente

cebollín fresco 2 cucharadas, cortado finamente con tijeras, reservando las puntas y flores para decorar (opcional)

ralladura y jugo de limón amarillo de 1 limón

vinagre de Champaña 1 cucharadita

sal de mar y pimienta

rinde 4 porciones

Retire la base de las endivias, separe las hojas y coloque en un tazón grande.

Desgrane la granada roja (página 250) y seque con una toalla de papel. Usando una mandolina corte los pérsimos en rebanadas delgadas.

En un tazón pequeño mezcle el queso feta con ½ cucharadita de aceite de oliva e integre. Agregue a las endivias la granada roja, pérsimos, queso feta, pistaches y cebollín.

Para preparar la vinagreta, en un tazón pequeño bata ½ taza de aceite de oliva con la ralladura y jugo de limón y el vinagre. Sazone al gusto con sal y pimienta.

Rocíe la vinagreta sobre la ensalada y mezcle con cuidado. Sazone con más sal y pimienta si fuera necesario. Decore con las puntas y flores de cebollín (si las usa). Sirva de inmediato.

CUÁNDO SERVIRLO

Nosotros servimos esta crujiente y refrescante ensalada en invierno cuando es temporada de pérsimos y granadas rojas. Combina muy bien con el Spaghettini con Pesto de Coliflor (página 140) o el Pollo Rostizado con Hierbas de Primavera (página 145).

VARIACIÓN

En esta ensalada se puede usar cualquier queso salado y ácido; experimente usando queso fresco de cabra o el *ricotta salata* en vez del feta.

De todas las verduras saludables que deberíamos comer, los betabeles son esenciales. En casa comemos muchos betabeles asados. Son deliciosos por sí solos o mezclados en ensaladas. Se pueden asar con un día de anticipación y dejarlos enfriar con su piel para después pelarlos cuando los quiera servir.

carpaccio de betabel

VARIACIONES DE PRESENTACIÓN

Montados individualmente
Parta los betabeles en rebanadas de 6 mm (¼ in) de grueso. Monte 8 ó 9 rebanadas de betabeles en cada plato y agregue el queso, la vinagreta y decore al gusto.

Rebanados para una fiesta
Dejando los tallos intactos, rebane cada betabel en 6 u 8 rebanadas. Acomode en un platón y rocíe con aceite de oliva. Sirva con pinchos para coctel y sal.

Platón estilo familiar Parta los betabeles en rebanadas de 3 mm (1/8 in) de grueso. Acomode los betabeles traslapados en un platón. Añada la vinagreta y decore al gusto.

Cubos para ensaladas de entrada
Corte los betabeles en cubos de 1 cm (½ in) y coloque en un tazón. Añada queso, vinagreta, sal y pimienta y mezcle. Divida entre platos o tazones y decore al gusto.

Precaliente el horno a 200°C (400°F).

Retire las hojas de los betabeles, si las tuvieran, dejando 1 cm (½ in) de los tallos. Coloque los betabeles sobre un trozo grande de papel aluminio. Rocíe con aceite de oliva. Una las orillas del papel para sellar apretadamente. Coloque el paquete sobre una charola para hornear con bordes. Ase los betabeles de 30 a 45 minutos, hasta que se sientan suaves al picarlos con la punta de un cuchillo. Retire del horno y desenvuelva los betabeles.

Cuando estén lo suficientemente fríos para poder tocarlos, frote los betabeles entre toallas de papel para retirar la piel. Siga una de las variaciones (a la izquierda) para cortar y emplatar los betabeles, siempre picando los betabeles oscuros al final para evitar manchar los más claros. Una vez que los betabeles estén cortados y acomodados, agregue el queso de cabra (si lo usa). Añada la vinagreta (si la usa) y sazone al gusto con sal y pimienta. Decore con la menta, estragón y el perifollo y sirva de inmediato.

betabeles Candy cane, dorados, rojos o blancos 8 en cualquier combinación

aceite de oliva extra virgen 2 cucharadas

queso de cabra 140 g (5 oz), desmoronado (opcional)

vinagreta de su elección (página 96) ½ taza (opcional)

sal de mar y pimienta

menta fresca 1 cucharada, partida en juliana

estragón fresco 2 cucharaditas, toscamente picado

hojas de perifollo 2 cucharaditas

rinde de 4 a 6 porciones

Nosotros somos de Inglaterra y los ingleses no sabemos mucho de sandía. De hecho, la única vez que Alison la comió fue de niña durante una vacación en España. Ahora que vivimos en los Estados Unidos ¡nos fascina tenerla en nuestra vida! Estas agridulces ensaladas siempre son un éxito con nuestros invitados.

ensalada de sandía con albahaca morada y queso feta

sandía sin semillas,
1 rebanada de 2 ½ cm (1 in) de grueso cortada del centro (entre 450 y 700 g/1 – 1 ½ lb)

aceitunas Niçoise o Kalamata
1 taza, sin hueso

queso feta 140 g (5 oz), partido en cubos de 1 cm (½ in)

hojas pequeñas de albahaca morada fresca ½ taza ligeramente compacta

aceite de oliva extra virgen ½ taza

jugo de limón amarillo fresco de 1 limón

sal de mar y pimienta

rinde de 4 a 6 porciones

Coloque la rebanada de sandía en una tabla de picar y corte alrededor para retirar la cáscara exterior de color verde y la parte blanca. Corte la carne roja longitudinalmente y después transversalmente, formando cubos de 2 ½ cm (1 in). Cuidadosamente resbale la rebanada a un platón de servicio, teniendo cuidado de mantener intacta la forma de la rebanada.

Adorne con las aceitunas, cubos de queso feta y hojas de albahaca y rocíe con el aceite de oliva y el jugo de limón. Sazone al gusto con sal y pimienta y sirva de inmediato.

SÍRVALA

A nosotros nos gusta divertirnos con esta ensalada. Algunas veces la servimos con todo y cáscara. Para las fiestas la servimos con tenedores pequeños o palillos para que la gente la tome cuando quiera, bocado por bocado, ¡junto con un sorbo de Margarita o cerveza fría mientras la come!

ensalada de sandía y jícama

jícama 1 pequeña

sandía sin semillas 3 tazas, partida en cubos

jugo de limón fresco 2 cucharadas

aceite de oliva ¼ taza

arúgula silvestre 1 taza

almendras Marcona 2 cucharadas, toscamente picadas

queso *ricotta salata* 140 g (5 oz), finamente rebanado

sal de mar y pimienta

rinde 4 porciones

Pele la jícama. Usando una mandolina corte en rebanadas tan delgadas como una hoja de papel. Pase a un tazón, añada los cubos de sandía y mezcle con cuidado.

En otro tazón mezcle el jugo de limón, aceite de oliva y arúgula e integre.

Divida la sandía y la jícama uniformemente entre 4 platos o pase a una ensaladera grande para que su familia se sirva. Cubra con la mezcla de arúgula, espolvoree con las almendras y el queso y sazone al gusto con sal y pimienta. Sirva de inmediato.

CÁMBIELA

Nosotros preferimos sandía pero usted puede preparar también estas ensaladas con melón cantaloupe. Casi todos los tipos de melón logran una fantástica y refrescante ensalada cuando se acompañan de quesos salados y se salpican con cítricos.

cuatro modos de preparar ensalada de hortalizas verdes

achicoria, espinaca y acedera morada

··

achicoria 1 cabeza, sus hojas troceadas

hojas de espinaca miniatura 4 tazas

hojas de acedera morada 1 taza

Vinagreta de Naranja Sangría (página 96) la necesaria

sal de mar y pimienta

rinde de 4 a 6 porciones

En un tazón de servicio mezcle la achicoria, espinaca y acedera con la vinagreta. Sazone al gusto con sal y pimienta y sirva de inmediato.

lechuga francesa con hierbas frescas

··

lechuga francesa 2 cabezas, las hojas grandes troceadas y las pequeñas enteras

cebollín 2 cucharadas, cortado finamente con tijeras, las puntas y flores reservadas para decorar (opcional)

estragón fresco 2 cucharadas, cortado finamente con tijeras

Vinagreta de Champaña y Chalote (página 96) la necesaria

sal de mar y pimienta

rinde de 4 a 6 porciones

En un tazón de servicio mezcle la lechuga, cebollín, y estragón con la vinagreta. Sazone al gusto con sal y pimienta. Decore con las flores de cebollín (si las usa) y sirva de inmediato.

hierbas de canónigo, verdolagas y cebollitas de cambray
....

hierbas de canónigo
4 tazas

verdolagas 4 tazas, sin los tallos gruesos

cebollitas de cambray
4, picadas en trozos diagonales de 2 ½ cm (1 in) si están gruesas

Vinagreta de Limón y Tomillo (página 96) la necesaria

sal de mar y pimienta

rinde de 4 a 6 porciones

En un tazón de servicio mezcle las hierbas de canónigo, verdolagas y cebollitas de cambray con la vinagreta. Sazone al gusto con sal y pimienta. Sirva de inmediato.

arúgula, lechuga y albahaca
....

hojas de arúgula 4 tazas

lechuga oakleaf verde, roja o jaspeada 4 tazas

hojas de albahaca morada o verde ¼ taza, las grandes picadas en trozos y las pequeñas enteras

Vinagreta de Jitomate Asado y Albahaca (página 96) la necesaria

sal de mar y pimienta

rinde de 4 a 6 porciones

En un tazón de servicio mezcle la arúgula, lechuga y albahaca con la vinagreta. Sazone al gusto con sal y pimienta. Sirva de inmediato.

cuatro modos de preparar vinagreta

vinagreta de champaña y chalote

chalote 1, finamente picado

aceite de oliva extra virgen
½ taza

Champaña o Prosecco
¼ taza

vinagre de Champaña
¼ taza

sal de mar y pimienta

rinde aproximadamente 1 taza

En un tazón pequeño bata el chalote con el aceite de oliva, Champaña y vinagre. Sazone al gusto con sal y pimienta.

vinagreta de jitomate asado y albahaca

jitomates cereza maduros
8, rojos o amarillos

sal de mar y pimienta

vinagre de vino tinto
¼ taza

albahaca fresca 4 hojas

aceite de oliva extra virgen
½ taza

rinde 1 taza

Precaliente el horno a 200°C (400°F). Coloque los jitomates en una charola pequeña para hornear con bordes y sazone con sal y pimienta. Ase cerca de 25 minutos, hasta que las pieles estén ampolladas y abiertas. Vierta el vinagre sobre los jitomates y ase durante 5 minutos más. Retire del horno y deje enfriar por completo.

Pase los jitomates asados y el vinagre a un procesador de alimentos y añada la albahaca y el aceite de oliva. Procese cerca de un minuto, hasta obtener una mezcla tersa. Sazone al gusto con sal y pimienta.

vinagreta de naranja sangría

naranja sangría 1

aceite de oliva extra virgen
½ taza

vinagre de vino tinto
¼ taza

sal de mar y pimienta

rinde 1 taza

Corte los polos de la naranja y coloque verticalmente. Siguiendo el contorno de la fruta, retire la piel y la membrana blanca. Sosteniendo la naranja sobre un tazón, corte a lo largo de ambos lados de cada gajo para separarlos de la membrana, permitiendo que los gajos y el jugo caigan en el tazón. Usando un tenedor, separe los gajos en trozos del tamaño de un bocado. Añada el aceite de oliva y el vinagre y bata hasta integrar por completo. Sazone al gusto con sal y pimienta.

vinagreta de limón y tomillo

ralladura y jugo de limón amarillo de ½ limón

aceite de oliva extra virgen
½ taza

vinagre de vino blanco
¼ taza

hojas de tomillo fresco
1½ cucharadita

sal de mar y pimienta

rinde aproximadamente 1 taza

En un tazón pequeño bata la ralladura y el jugo de limón con el aceite de oliva, vinagre y tomillo. Sazone al gusto con sal y pimienta.

cuatro modos de preparar ensalada caprese

brochetas de bocconcini y jitomates cereza

....

jitomates heirloom, Toy Box o cereza 450 g (1 lb) amarillos y rojos

bocconcini frescos 450 g (1 lb)

hojas de albahaca fresca 1 taza

sal de mar y pimienta

hojuelas de chile rojo 1 cucharadita

aceite de oliva extra virgen ¼ taza

rinde de 4 a 6 porciones

Inserte 3 jitomates, 3 *bocconcini* y 3 hojas de albahaca en una brocheta de bambú, alternando los ingredientes. Repita la operación con los demás ingredientes; usted deberá tener aproximadamente10 brochetas. Acomode las brochetas en un platón grande y sazone con sal y pimienta. Espolvoree con las hojuelas de chile y rocíe con el aceite de oliva antes de servir.

abanicos de jitomate heirloom con queso mozzarella de búfala

....

jitomates heirloom 4 grandes

queso mozzarella fresco, de preferencia *mozzarella di bufala* 900 g (2 lb), rebanado en rodajas de 6 mm (¼ in) de grueso

hojas de albahaca fresca de ½ manojo

sal de mar y pimienta molida

aceite de oliva extra virgen ¼ taza

rinde de 4 a 6 porciones

Usando un cuchillo filoso haga una serie de cortes longitudinales a los jitomates, dejando una separación de 6 mm (¼ in) entre los cortes y deteniéndose a 6 mm (¼ in) antes de llegar hasta abajo. Repita la operación con los 3 jitomates restantes. Meta las rebanadas de mozzarella y las hojas de albahaca en cada incisión. Acomode en un platón. Sazone con sal y pimienta y rocíe con el aceite de oliva antes de servir.

ensalada de jitomates miniatura

· ·

jitomates heirloom, Toy Box o pera 450 g (1 lb)

bocconcini **frescos** 450 g (1 lb), partidos a la mitad

sal de mar y pimienta

aceite de oliva extra virgen
¼ taza

albahaca fresca 10 hojas, picadas finamente en juliana

rinde de 4 a 6 porciones

Si los jitomates son más grandes de 2 ½ cm (1 in) de diámetro, parta a la mitad utilizando un cuchillo de sierra. En un tazón de servicio poco profundo mezcle los jitomates con los *bocconcini*. Sazone con sal y pimienta. Rocíe con el aceite de oliva y espolvoree con la albahaca antes de servir.

queso burrata con rodajas de jitomate

· ·

jitomates heirloom
8 pequeños

queso *burrata* **fresco**
900 g (2 lb)

sal de mar y pimienta

Pesto de Limón Amarillo y Albahaca (página 143) o pesto de albahaca comprado, ½ taza

aceite de oliva extra virgen
¼ taza

rinde de 4 a 6 porciones

Corte los jitomates en rodajas de 2 ½ cm (1 in) y acomode en un platón. Corte el queso *burrata* para abrir y mostrar el centro cremoso y coloque en el platón. Rocíe los jitomates y queso *burrata* con el pesto y el aceite de oliva; sazone con sal y pimienta. Sirva animando a los invitados a pasar un poco de queso y jitomates a sus platos.

Nuestra forma favorita de cocinar estos deliciosos (y fascinantes) calamares es asarlos al carbón. ¿Sabía usted que el calamar se mueve gracias a un órgano que les permite moverse al expulsar agua a presión? A nosotros nos encantan los refrescantes y ligeramente especiados sabores de esta ensalada con inspiración asiática.

ensalada de calamares asados al carbón

· ·

VARIACIÓN

Si a usted no le fascinan los calamares o no los encuentra, esta ensalada también es deliciosa con camarones. Compre 500 g (1 lb) de camarones medianos, pele, desvene e inserte en un pincho para brochetas y ase hasta que estén curvos y de color rosado.

Si compra calamares enteros, limpie (página 250), pique los cuerpos en anillos de 1 cm (½ in) de ancho y pique los tentáculos en trozos del tamaño de un bocado. Si los compra limpios, corte como se indica con anterioridad. En un tazón mezcle los calamares con 2 cucharadas de aceite de oliva y sazone con sal y pimienta.

Precaliente un asador a fuego medio-alto y engrase con aceite una canastilla para asar. Coloque los anillos y tentáculos de calamar en la canastilla y ase cerca de un minuto por lado, volteando una sola vez, hasta que estén opacos y ligeramente chamuscados en las orillas.

En un tazón bata 2 cucharadas de aceite de oliva con el jugo de limón, menta, cilantro y chiles. Mezcle los calamares con el aderezo y sirva calientes o a temperatura ambiente.

calamares 700 g (1 ½ lb) enteros o 450 g (1 lb) limpios

aceite de oliva extra virgen 4 cucharadas

sal de mar y pimienta

jugo de limón fresco fde 2 limones

hojas de menta fresca ¼ taza ligeramente compacta

cilantro ¼ taza, toscamente picado

chiles rojos tai 2, sin semillas y finamente picados

rinde de 4 a 6 porciones

Si usted tiene mangos verdes y duros, rebane finamente con ayuda de una mandolina y utilice en una ensalada fresca. Son deliciosos y tienen un sabor parecido al de la nieve. No tenga miedo de colocar esta ensalada en caparazones de langosta, ia sus invitados les encantará!

ensalada de langosta con mango verde y menta

langostas 4, de aproximadamente ½ kg (1 ¼ lb) cada una

mango verde o papaya verde 1 grande

semillas de ajonjolí negras ½ cucharadita, tostadas

semillas de ajonjolí blancas ½ cucharadita, tostadas

hojas de menta fresca ¼ taza ligeramente compacta, troceadas o toscamente picadas

hojas de albahaca tai fresca ¼ taza ligeramente compacta, troceadas o toscamente picadas

cebollitas de cambray 4, finamente rebanadas en diagonal

ralladura y jugo de limón fresco de 1 limón

salsa asiática de pescado 1½ cucharadita

sal de mar y pimienta

rinde 4 porciones como platillo principal
rinde 8 porciones como botana

Hierva agua con sal en una olla grande sobre fuego alto. Mientras tanto, prepare un tazón grande con agua con hielo. Agregue las langostas a la olla, tape durante 12 minutos. Escurra las langostas en un colador grande y sumerja en el agua con hielo. Cuando las langostas estén completamente frías, retire del tazón y deje escurrir.

Para retirar la carne de la langosta, trabaje con una langosta a la vez, gire las tenazas para retirar del cuerpo. Utilizando unas pinzas o un martillo rompa el caparazón de cada pinza y retire la carne. Usando un cuchillo grande y filoso corte la langosta longitudinalmente de la cabeza a la cola. Deseche la parte oscura que corre a lo largo del cuerpo y retire la carne del cuerpo y cola. Pique la carne de la cola en 4 trozos. Enjuague el caparazón debajo del chorro de agua fría, seque con toallas de papel y reserve.

Pele el mango. Localice el hueso del centro, ancho y plano, y use la punta de un cuchillo para localizar el lado plano del hueso. Estos lados del mango son más carnosos. Utilizando una mandolina parta el lado carnoso del mango en rebanadas tan delgadas como una hoja de papel, hasta llegar a 1 cm (½ in) del hueso, voltee el mango y repita la operación para rebanar el otro lado carnoso.

En un tazón grande mezcle la langosta con el mango, semillas negras y blancas de ajonjolí, menta, albahaca, cebollitas, ralladura y jugo de limón y salsa de pescado. Sazone al gusto con sal y pimienta. Sirva de inmediato colocando la ensalada en los caparazones de langosta reservados con ayuda de una cuchara.

SÍRVALA

Para una comida familiar sirva esta ensalada en un tazón poco profundo, en el cual se pueden ver los ingredientes para que los comensales se puedan servir a su gusto.

ACOMPÁÑELA

La langosta siempre es un ingrediente especial para nosotros. Cuando la preparamos, nos gusta echar la casa por la ventana y servirla con Champaña para tener un banquete completo.

cuatro modos de preparar pescado ahumado

trucha, berros y manzana

filetes de trucha ahumada 340 g (¾ lb)

berros 2 manojos (aproximadamente 3 tazas compactas)

manzanas Fuji o Gala 22, partidas a la mitad, descorazonadas y rebanadas a 6 mm(¼ in) de grueso

aceite de semilla de uva ¼ taza

jugo de limón amarillo fresco 2 cucharadas

ralladura de limón amarillo 2 cucharaditas

rinde de 4 a 6 porciones

Usando un tenedor separe la trucha en trozos de 2 ½ cm (1 in).

Retire las puntas gruesas de los tallos de los berros y separe en ramas de tamaño mediano.

En un tazón mezcle la trucha con los berros y las manzanas. Rocíe con el aceite de semilla de uva y jugo de limón, espolvoree con la ralladura de limón y mezcle hasta integrar por completo. Pase a un platón de servicio y sirva de inmediato.

salmón y papas fingerling

papas fingerling pequeñas 450 g (1 lb)

sal de mar y pimienta molida

crème fraîche ½ taza

rábano picante preparado (horseradish) 1 cucharada

ralladura de limón amarillo de 1 limón

cebollín fresco 2 cucharadas, cortado finamente con tijeras, las puntas reservadas para decorar

salmón ahumado 220 g (½ lb), finamente rebanado y separado en tiras de 2 ½ cm (1 in)

rinde de 4 a 6 porciones

En una olla mezcle las papas con una cucharada de sal, cubra con agua dejando 5 cm (2 in) de más. Coloque sobre fuego alto, lleve a ebullición y hierva cerca de 10 minutos, hasta que se sientan suaves al picarlas con un cuchillo.

Escurra las papas y reserve hasta que estén lo suficientemente frías para poder tocarse. Corte las papas longitudinalmente a la mitad y reserve en un tazón. Tape para mantener calientes.

En un tazón mezcle la crème fraîche, rábano picante, ralladura de limón y el cebollín picado. Revuelva hasta integrar. Con cuidado añada las papas y el salmón ahumado, sazone al gusto con sal y pimienta. Divida entre platos individuales, decore con las puntas del cebollín y sirva de inmediato.

salmón, endivia y huevos poché

vinagre de vino blanco y mostaza de grano entero 1 cucharada de cada uno

aceite de oliva extra virgen ¼ taza

sal de mar y pimienta

vinagre destilado 1 cucharada

endivia 1 cabeza

Crutones (página 249) 12

salmón ahumado 220 g (½ lb), finamente rebanado y troceado en tiras de 2 ½ cm (1 in)

huevos de granja 4

perifollo ½ taza

cebollín 1 cucharada, cortado finamente con tijeras

rinde 4 porciones

En un tazón mezcle el vinagre de vino blanco con la mostaza. Añada el aceite en hilo continuo, batiendo constantemente. Sazone al gusto con sal y pimienta y reserve.

Llene una sartén hasta la mitad con agua, hierva a fuego lento, agregue el vinagre destilado.

Mientras tanto, rompa las hojas de endivia en trozos del tamaño de un bocado y mezcle con la vinagreta. Añada los crutones y el salmón ahumado. Divida la ensalada entre platos individuales.

Trabajando rápidamente, rompa un huevo en una taza de té y deslícelo al agua hirviendo. Repita la operación con los huevos restantes. Escalfe de 3 a 4 minutos, hasta que las claras no trasluzcan. Retire con ayuda de una cuchara ranurada, coloque sobre toallas de papel y deslice sobre la ensalada. Decore con el perifollo y cebollín, sazone al gusto con sal y pimienta y sirva.

trucha, pepino y eneldo

filetes de trucha ahumada 450 g (1 lb)

pepino inglés 1, partido en 4 trozos iguales

alcaparras miniatura ½ taza

eneldo fresco 2 cucharadas, toscamente picado

hojas de perejil liso fresco ½ taza, troceadas

yogurt simple estilo griego bajo en grasa ½ taza

cebolla morada 1 pequeña, finamente picada

jugo de limón amarillo fresco 1 cucharada

aceite de oliva extra virgen ¼ taza

sal de mar y pimienta molida

rinde de 4 a 6 porciones

Usando un tenedor separe los filetes de trucha en trozos de 2 ½ cm (1 in).

Usando una mandolina rebane el pepino en rebanadas tan delgadas como una hoja de papel. En un tazón grande mezcle las rebanadas de pepino con la trucha, alcaparras, eneldo y perejil.

En un tazón pequeño mezcle el yogurt con la cebolla y el jugo de limón. Agregue el aceite en hilo continuo, batiendo continuamente. Vierta la mezcla sobre la ensalada, sazone al gusto con sal y pimienta y mezcle hasta integrar por completo. Pase a un platón de servicio y sirva de inmediato.

En japonés, *su* significa vinagre y *mono* significa cosa. Por lo que este delicioso platillo literalmente se traduce como "cosa avinagrada". La ensalada de pepino con cangrejo en escabeche es una saludable y sencilla receta que nos encanta y la cual también es una de las favoritas de algunos de nuestros amigos.

sunomono de cangrejo

pepino inglés 1 grande o 2 ó 3 japoneses

sal de mar

trozo de carne de cangrejo 220 g (½ lb), sin fragmentos de caparazón

vinagre de arroz sazonado ¼ taza

sake 1 cucharada

azúcar 1 cucharada

salsa de soya reducida en sodio 1 cucharadita

aceite de ajonjolí tostado ¼ cucharadita

semillas de ajonjolí 1 cucharadita, tostadas

rinde 4 porciones

Usando una mandolina parta el pepino en rebanadas muy delgadas. Espolvoree las rebanadas de pepino con una cucharadita de sal y mezcle. Coloque en un colador de malla fina y permita reposar a temperatura ambiente durante 10 minutos, hasta que escurra la mayoría de líquido. Deseche el líquido y exprima los pepinos para retirar el exceso de humedad.

En un tazón, mezcle la carne de cangrejo con las rebanadas de pepino. En un tazón pequeño mezcle el vinagre, sake, azúcar, salsa de soya y aceite de ajonjolí; bata hasta integrar por completo. Vierta la mezcla de vinagre sobre la mezcla de cangrejo y pepinos y revuelva hasta integrar por completo.

Divida la mezcla de cangrejo entre platos individuales y espolvoree con las semillas de ajonjolí. Sirva de inmediato.

ACOMPAÑE CON

Este platillo es delicioso cuando se acompaña con sake (o cualquier coctel con base de sake), pero a nosotros también nos gusta servirlo con una cerveza japonesa como la Asahi o la Sapporo.

CÁMBIELO

A nosotros nos gusta preparar esta ensalada con daikon o espárragos crudos, finamente rebanados, en lugar del coco.

naranjas asadas, escarola y almendras

naranjas Valencia
4 grandes

aceite de oliva extra virgen
para rociar, más ¼ taza

escarola 1 cabeza, sin las hojas duras del exterior y el resto de hojas separadas y troceadas

hojas de perejil liso fresco
¼ taza, toscamente picadas

vinagre de jerez 1 cucharada

sal de mar y pimienta

almendras Marcona
½ taza, toscamente picadas

rinde 4 porciones

Precaliente un asador o una sartén para asar a fuego alto.

Utilizando un cuchillo filoso corte los polos de la naranja y coloque verticalmente. Siguiendo el contorno de la fruta, retire la cáscara y la membrana blanca. Corte la naranja transversalmente en rebanadas de 6 mm (¼ in) de grueso. Rocíe con aceite de oliva. Ase las naranjas de 2 a 4 minutos en total, volteando una sola vez, hasta que estén tostadas por ambos lados. Reserve

En un tazón mezcle la escarola, perejil, ¼ taza de aceite de oliva y vinagre y mezcle para cubrir. Sazone al gusto con sal y pimienta. Añada las naranjas y almendras, mezcle hasta integrar por completo y divida uniformemente la ensalada entre platos individuales. Sirva de inmediato.

toronja pomelo, jícama y chile

toronja pomelo 1 grande

jícama ½ pequeña, sin piel

cebollitas de cambray
4, finamente rebanadas en diagonal

chile tai 1 pequeño, sin semillas y finamente picado

pepitas (semillas de calabaza) ½ taza, tostadas

cilantro 2 cucharadas, toscamente picado

sal de mar y pimienta

rinde de 4 a 6 porciones

Retire la cáscara de la toronja y separe en gajos (página 250) permitiendo que cada gajo y sus jugos escurran hacia un tazón. Usando un tenedor separe los gajos en trozos del tamaño de un bocado.

Usando una mandolina parta la jícama en rebanadas tan delgadas como una hoja de papel. Añada la jícama a los gajos de toronja junto con las cebollitas de cambray, chile, *pepitas* y cilantro. Mezcle hasta integrar y sazone al gusto con sal y pimienta. Sirva de inmediato.

toronja, aguacate y betabel

betabeles dorados 2, sin raíz

aceite de oliva extra virgen 2 cucharadas más el necesario para rociar

toronjas rosadas 2 grandes

vinagre de Champaña 1½ cucharadita

aguacates Hass 2, rebanados

hojas de albahaca fresca ½ taza, troceadas

cebolla morada ½, muy finamente rebanada

sal de mar y pimienta

rinde 4 porciones

Precaliente el horno a 170°C (350°F). Cubra los betabeles con 2 cucharadas de aceite de oliva y envuelva en papel aluminio. Coloque sobre una charola para hornear con borde y ase cerca de una hora, hasta que se sientan suaves al picarlos con la punta de un cuchillo. Retire del horno y desenvuelva. Cuando estén lo suficientemente fríos para poder tocarlos, frote los betabeles entre toallas de papel para retirar la piel. Reserve.

Retire la cáscara de la toronja y separe en gajos (página 250) permitiendo que cada gajo y sus jugos escurran hacia un tazón. Reserve.

Usando una mandolina parta los betabeles en rebanadas tan delgadas como una hoja de papel. Coloque los betabeles en un tazón, rocíe con aceite y vinagre y mezcle. Añada las toronjas, aguacates, albahaca y cebolla. Sazone al gusto con sal y pimienta.

Divida uniformemente entre vasos o platos individuales y sirva de inmediato.

naranja, menta y avellanas

naranjas sangría 3

naranjas navel 3

avellanas ¼ taza, tostadas y toscamente picadas

aceite de oliva extra virgen 3 cucharadas

sal de mar y pimienta

hojas de menta fresca de 6 ramas, troceadas si están grandes

rinde de 4 a 6 porciones

Utilizando un cuchillo filoso corte los polos de las naranjas y coloque verticalmente. Siguiendo el contorno de la fruta retire la cáscara y la membrana blanca. Corte las naranjas transversalmente en rebanadas de 6 mm (¼ in) de grueso. Coloque en un platón. Espolvoree con las avellanas y rocíe con el aceite de oliva. Sazone al gusto con sal y pimienta. Decore con la menta y sirva de inmediato.

Los espárragos son miembros de la familia de las liliáceas y pueden retoñar literalmente en un día. A nosotros nos encanta comer los primeros espárragos de la temporada y acompañarlos con chícharos frescos y limones para preparar un platillo perfectamente ligero, sencillo y delicioso.

ensalada de chícharos y espárragos con aderezo de limón meyer

. . . .

DECÓRELA

Nosotros usamos papel arroz todo el tiempo. Puede convertir un platillo sin chiste como esta ensalada en algo mucho más especial y fácil de servir. Utilizando una mezcla de espárragos (en este caso verdes, blancos y morados) se logra un manojo precioso.

ACOMPAÑE CON

Para un fabuloso menú primaveral, a nosotros nos gusta servir esta ensalada con cordero asado. Y como postre la Granita de Vino Sauternes con Miel de Limón Amarillo (página 222) le da un toque elegante aunque los Merengues (página 216) también son deliciosos y ligeros.

Llene una olla con tres cuartas partes de agua salada y lleve a ebullición. Mientras tanto, prepare un tazón grande con agua con hielos. Añada los chícharos al agua hirviendo y blanquee durante un minuto. Utilizando un colador de alambre, saque los chícharos del agua y refresque en el agua con hielo. Retire con el colador y reserve.

Utilizando la misma agua, cocine los espárragos durante 3 minutos, hasta que estén suaves. Escurra los espárragos y refresque en el mismo tazón con agua helada. Escurra una vez más y reserve.

En un tazón con agua caliente remoje las hojas de papel arroz 1 ó 2 a la vez, cerca de 30 segundos, hasta que estén flexibles. Retire del agua y corte cada hoja en tiras de 5 cm (2 in) de ancho.

Coloque una tira de papel arroz sobre una superficie seca y acomode 5 espárragos en una orilla (utilice menos espárragos si están grandes). Enrolle las tiras de papel arroz alrededor de los espárragos para formar un atado. Reserve y repita la operación con las hojas de papel y los espárragos restantes.

En un tazón mezcle los chícharos, ralladura y jugo de limón y aceite de oliva; revuelva para integrar. Sazone al gusto con sal y pimienta. Pase los atados de espárragos a un platón o divida entre platos individuales. Esparza los chícharos y los zarcillos de chícharo sobre los espárragos y sirva de inmediato.

chícharos 2 tazas (aproximadamente 900 g/2 lb)

espárragos 900 g (2 lb), sin la base dura

papel arroz 4 hojas

zarcillos de chícharo, 2 tazas

ralladura y jugo de limón Meyer de 1 limón

aceite de oliva extra virgen ¼ taza

sal de mar y pimienta molida

rinde de 6 a 8 porciones

A nosotros nos encantan las alcachofas y las preparamos con la mayor frecuencia posible. Ésta es una gran ensalada para acompañar con un sencillo pollo rostizado. Las alcachofas y las alubias pueden cocinarse con un día o dos de anticipación y almacenar con sus respectivos líquidos de cocimiento hasta el momento de servir.

ensalada de corazones de alcachofa y alubias

alubias (o frijoles cannellini) secas
secas1 taza, remojadas toda la noche y enjuagadas en agua fría

caldo de pollo 6 tazas

romero y tomillo fresco 4 ramas de cada uno

ajo 4 dientes, machacados

sal de mar y pimienta molida

jugo de limón amarillo 2 limones, partidos a la mitad

alcachofas 4 grandes

hoja de laurel 1

aceite de oliva extra virgen ½ taza

vinagre de vino blanco 1 cucharada

cebollín fresco 1 cucharada, cortado finamente con tijeras

filetes de anchoa blanca 16, empacados en aceite

queso pecorino 1 taza, rasurado

hojas de perejil liso fresco ½ taza

rinde 4 porciones

En una olla grande mezcle las alubias, caldo, 2 ramas de romero, 2 ramas de tomillo y 2 dientes de ajo. Sazone generosamente con sal y pimienta. Coloque sobre fuego alto y lleve a ebullición. Cuando suelte el hervor reduzca el fuego y deje hervir lentamente cerca de una hora, hasta que las alubias estén suaves. Retire del fuego y deje enfriar en su líquido de cocimiento. Cuando se enfríen, escurra las alubias.

Mientras tanto, prepare un tazón con agua con hielos y exprima el jugo de los 2 limones en el agua. Trabajando con una alcachofa a la vez, retire las hojas duras del exterior hasta que encuentre las de color verde pálido del interior que forman el cono. Corte el cono de hojas alineado a la base. Corte el tallo para crear una base plana. Con un pelador de verduras, recorte las capas de fibra donde el tallo se une a la base y donde las hojas externas estaban unidas. Una vez que cada fondo de alcachofa esté recortado, sumerja en el agua con limón.

Cuando termine de recortar las 4 alcachofas, escurra, pase a una olla y cubra con agua fría. Añada la hoja de laurel, 2 ramas de romero, 2 ramas de tomillo, 2 dientes de ajo y una cucharadita de sal y coloque sobre fuego alto. Lleve a ebullición y cuando suelte el hervor reduzca a fuego lento y cocine de 20 a 30 minutos, hasta que se sientan suaves al picarlas con un cuchillo. Retire del fuego y deje enfriar en su líquido de cocimiento.

En un tazón grande bata el aceite de oliva con el vinagre. Agregue las alubias escurridas y el cebollín a la vinagreta. Mezcle hasta integrar y sazone al gusto con sal y pimienta.

Retire las alcachofas de su líquido de cocimiento y seque con toallas de papel. Usando una cucharita, retire la pelusilla del centro de cada corazón de alcachofa. Coloque cada fondo en un plato individual. Cubra con la mezcla de alubias y esparza las anchoas, queso pecorino y perejil sobre las alubias. Sirva de inmediato.

SÍRVALA CON

A nosotros nos gusta servir esta ensalada sobre el corazón de alcachofa (la mejor parte) la cual le da una magnífica presentación. También puede picar los corazones y mezclar con el resto de la ensalada o servir sola sobre una cama de hortalizas, haciéndola más una ensalada.

cuatro modos de preparar ensalada rasurada

ensalada de col, pera y jengibre

vinagre de arroz sazonado, ¼ taza

aceite de ajonjolí tostado
1 cucharada

jengibre fresco 1
cucharadita, rallado

azúcar morena clara 1
cucharadita

salsa de soya 1
cucharadita

col napa ½ cabeza

mango 1 firme, sin piel

pera asiática 1,
partida a la mitad y
descorazonada

chile serrano rojo 1

**sal de mar y pimienta
molida**

rinde 4 porciones

En un tazón pequeño bata el vinagre con el aceite de ajonjolí, jengibre, azúcar y salsa de soya. Reserve.

Utilizando una mandolina rasure la col, mango y pera en rebanadas delgadas. Mezcle en un tazón. Corte el chile en anillos delgados, retire las semillas y añada al tazón. Agregue el aderezo y mezcle hasta integrar. Sazone al gusto con sal y pimienta. Sirva de inmediato.

pepino, cebolla morada y eneldo

pepinos ingleses 2

cebolla morada ½

eneldo fresco 3
cucharadas, picado

menta fresca 2
cucharadas, picada

vinagre de arroz 2
cucharadas

**aceite de oliva extra
virgen**
¼ taza

**sal de mar y pimienta
molida**

rinde 4 porciones

Utilizando una mandolina o un pelador de papas rasure los pepinos longitudinalmente en listones delgados. Rebane delgado la cebolla. En un tazón mezcle los pepinos y cebolla con el eneldo, menta, vinagre y aceite de oliva. Sazone al gusto con sal y pimienta y sirva de inmediato.

calabaza, menta y queso ricotta salata

chícharos 2 tazas

**mezcla de calabazas
de verano como las
calabacitas, calabazas
amarillas y pattypan**
450 g (1 lb)

queso *ricotta salata*
110 g (¼ lb), rasurado

cebollitas de cambray
2, finamente rebanadas
en diagonal

menta fresca ¼ taza,
picada

**aceite de oliva extra
virgen**
¼ taza

**sal de mar y pimienta
molida**

rinde 4 porciones

Llene una olla con tres cuartas partes de
agua muy salada y deje hervir. Mientras
tanto, prepare un tazón grande con agua
con hielos. Agregue los chícharos al agua
hirviendo y blanquee durante un minuto.
Utilizando un colador de alambre retire los
chícharos y refresque en el tazón con agua
con hielos. Retire del agua usando el
colador y reserve.

Utilizando una mandolina o un pelador de
papas rasure las calabazas
longitudinalmente en listones delgados. En
un tazón mezcle las calabazas, chícharos,
queso *ricotta salata,* cebollitas de
cambray, menta y aceite de oliva. Sazone
al gusto con sal y pimienta y sirva de
inmediato.

zanahoria, aceitunas y almendras

**zanahorias de múltiples
colores** 450 g (1 lb)

aceitunas verdes ¼
taza, sin hueso

perejil liso fresco
¼ taza, ligeramente
compacta

**aceite de oliva extra
virgen**
2 cucharadas

**jugo de limón amarillo
fresco** 1 cucharadita

semillas de comino ½
cucharadita

**sal de mar y pimienta
molida**

almendras ¼ taza,
tostadas y amartajadas

rinde 4 porciones

Utilizando un cepillo de cerdas firmes
frote las zanahorias en un tazón con
agua fría. Escurra y seque con toallas de
papel. Utilizando una mandolina rasure las
zanahorias longitudinalmente en listones
delgados. Reserve en un tazón.

Utilizando un cuchillo largo pique
toscamente las aceitunas y el perejil. Pase
a un tazón pequeño y añada el aceite de
oliva, jugo de limón y semillas de comino,
revuelva hasta integrar. Sazone al gusto
con sal y pimienta.

Añada la mezcla de aceite de oliva a
las zanahorias y mezcle hasta integrar
por completo. Divida la ensalada entre
platos o tazones individuales, agregue las
almendras y sirva de inmediato.

Nosotros usamos la mandolina todo el tiempo. De hecho, es uno de nuestros utensilios de cocina favoritos. Puede transformar la forma en que usted come, particularmente en las ensaladas. El hinojo, con un alto contenido de vitamina C y fibra y bajo en calorías siempre nos recuerda a Italia. Es un alimento básico en nuestra cocina.

ensalada de hinojo con naranja sangría y queso parmesano

bulbo de hinojo 1 grande

naranjas sangría 2

dátiles Medjool ½ taza, toscamente picados

aceite de oliva extra virgen ¼ taza

sal de mar y pimienta molida

queso parmesano 1 taza, rasurado

rinde 4 porciones

Retire la raíz del bulbo de hinojo, retirando las capas fibrosas del exterior y el corazón duro, y reservando las frondas. Utilizando una mandolina parta el bulbo de hinojo en rebanadas tan delgadas como una hoja de papel. En un tazón mezcle las rebanadas de hinojo con las frondas reservadas.

Retire la cáscara de las naranjas y separe en gajos (página 250), permitiendo que los gajos y sus jugos caigan en un tazón. Agregue el hinojo, dátiles, aceite de oliva y sal y pimienta al gusto a los gajos de naranja y mezcle para cubrir. Divida entre platos individuales, espolvoree con el queso parmesano y sirva de inmediato.

ACOMPAÑE CON

Esta ensalada es muy sabrosa cuando se sirve con cualquier plato principal. Nosotros la servimos con carnes asadas, pasta, pescados o mariscos. También ofrecemos sopa con pan crujiente junto a la ensalada para hacer una comida completa.

ensalada de hinojo con manzana, nueces y queso manchego

bulbo de hinojo 1 pequeño

manzanas Granny Smith 2

apio 1 tallo

aceite de oliva extra virgen 3 cucharadas

vinagre de vino blanco 1 cucharada

nueces ¼ taza, tostadas y picadas

sal de mar y pimienta molida

queso Manchego español ½ taza, rasurado

rinde 4 porciones

Retire la raíz del bulbo de hinojo, retirando las capas fibrosas del exterior y el corazón duro, y reservando las frondas. Parta las manzanas en cuartos y descorazone. Utilizando una mandolina rebane finamente el bulbo de hinojo, manzanas y tallo de apio.

En un tazón bata el aceite de oliva con el vinagre. Agregue el hinojo, manzanas, apio, nueces y sal y pimienta al gusto, mezcle hasta integrar.

Divida la ensalada uniformemente entre platos individuales, espolvoree con el queso Manchego y las frondas de hinojo reservadas y sirva de inmediato.

VÍSTALA

Para darle un toque elegante, nosotros servimos una de estas ensaladas como primer plato. Otras veces pensamos en servirla en un tazón grande para una reunión familiar. Alternando las presentaciones usted puede hacer cualquier platillo para diferentes tipos de reuniones.

La alcachofa de Jerusalén o tupinambo ha tenido un pequeño maltrato en su vida. Y una leyenda antigua de señoras lo relaciona con la lepra ¡debido a su parecido con los dedos de aquellos que sufrían de esta enfermedad! Y durante muchos años fue considerada como una verdura para gente pobre. ¡Tupinambo, a nosotros nos encantas!

ensalada de alcachofa de Jerusalén con granada roja y apio

CUÁNDO SERVIRLA

Refrescante y crujiente, ésta es una gran ensalada para cualquier momento, pero es ideal para un menú de invierno. También es bastante bonita ya que añade color a cualquier comida. A nosotros nos gusta servirla con carnes asadas u horneadas o también con brochetas a la plancha (página 149).

Precaliente el horno a 190°C (375°F).

Pele las alcachofas de Jerusalén y corte en rebanadas de 1 cm (½ in) de grueso. Coloque en una sartén para asar, rocíe con 2 cucharadas de aceite de oliva, agregue las ramas de tomillo, sazone generosamente con sal y pimienta y mezcle para cubrir con el aceite. Esparza las rebanadas en la sartén y ase cerca de 20 minutos, volteando una vez, hasta dorar. Reserve y deje enfriar.

Desgrane la granada roja (página 250), seque las semillas con toallas de papel y reserve.

Utilizando una mandolina rebane finamente los tallos de apio y coloque en un tazón grande junto con las hojas de apio reservadas. Rompa las hojas de achicoria a la mitad y añada al apio.

En un tazón pequeño bata ¼ taza de aceite de oliva con el vinagre.

Añada las alcachofas de Jerusalén al tazón con el apio y achicoria y vierta el aderezo sobre la ensalada. Sazone al gusto con sal y pimienta y mezcle para cubrir. Esparza el queso *ricotta salata* y las semillas de granada sobre la ensalada y sirva de inmediato.

alcachofas de Jerusalén 230 g (½ lb)

aceite de oliva extra virgen 2 cucharadas más ¼ taza

tomillo fresco 2 ramas

sal de mar y pimienta molida

granada roja 1

apio 2 tallos, reservando las hojas del interior

achicoria 1 cabeza, sus hojas separadas

vinagre de Champaña 1 cucharada

queso *ricotta salata* ½ taza, desmoronado

rinde de 4 a 6 porciones

platos principales

Nuestra idea de una comida o cena realmente grandiosa es invitar entre seis y ocho buenos amigos a nuestra casa y disfrutar de una deliciosa botella de vino, chuletas de cordero asadas con mucho ajo y un exquisito gratín de verduras y ejotes frescos. Éste es el tipo de comida que realmente disfrutamos.

El halibut, que puede alcanzar un gran tamaño, es un buen pescado para cocinar porque es firme y permanece jugoso cuando se hornea o cocina a la sartén. El hinojo es una opción ideal para acompañar el pescado y cuando se combina con cítricos queda aún mejor.

halibut con toronja, perejil e hinojo

. . . .

VARIACIÓN

Algunas veces nos gusta reemplazar el hinojo por jícama rallada, que es fresca, crujiente y una buena pareja para la acidez que aportan los cítricos.

FORMAS DE SERVIR

Usted puede servir este platillo de diferentes maneras. Aquí presentamos dos opciones: haga una cama de ensalada sobre el plato y coloque el pescado sobre ella, o pique finamente la ensalada y sírvala sobre el pescado como una salsa. Este pescado también es delicioso acompañado con un puré de polenta o de tubérculos (página 196).

Pele y separe las toronjas en gajos (página 250) dejando caer los gajos y los jugos en un tazón. Agregue el perejil al tazón y mezcle suavemente.

Limpie el hinojo retirando las capas duras o fibrosas y reservando las frondas. Utilizando una mandolina rebane el bulbo del hinojo en láminas muy delgadas. Agregue las rebanadas y frondas del hinojo al tazón.

Sazone los filetes con sal y pimienta. En una sartén gruesa sobre fuego medio-alto caliente el aceite de oliva. Agregue los filetes y cocine de 3 a 4 minutos, hasta que se doren por el primer lado. Voltee y cocine aproximadamente 3 minutos más, hasta que estén opacos en las orillas.

Para servir, pase los filetes a platos individuales. Usando una cuchara vierta la mezcla de toronja e hinojo sobre los filetes y rocíe con un poco de aceite de oliva. Sirva de inmediato.

toronjas rosas o rubí 4

hojas de perejil liso fresco 1 taza

bulbo de hinojo 1

filetes de halibut o mero 4 (de 230 g/½ lb cada uno), sin piel ni espinas

sal de mar y pimienta molida

aceite de oliva extra virgen 1 cucharada más el necesario para rociar

rinde 4 porciones

El pescado entero al horno es uno de los platillos favoritos de Alison para cocinar a sus amigos. Filetear un pescado entero no es tan complicado, siempre y cuando el pescado se encuentre cocido adecuadamente, además, también es una forma de impresionar con un poco de espectáculo en la mesa.

branzino con limón amarillo y hierbas

. . . .

perejil liso, tomillo y romero frescos 4 ramas de cada uno

ajo 2 dientes, rebanados finamente

aceite de oliva extra virgen 2 cucharadas más el necesario para rociar

robalo del Mediterráneo 2 enteros (de 560 g/1 ¼ lb cada uno), limpios, enjuagados y secados con toallas de papel

sal de mar y pimienta molida

limón amarillo 1, finamente rebanado

rinde 4 porciones

Precaliente el horno a 230°C (450°F). En un tazón mezcle las hierbas, ajo y 2 cucharadas de aceite de oliva. Usando un cuchillo filoso corte aberturas diagonales a lo largo de ambos lados de cada pescado, dejando una separación de 2 ½ cm (1 in) entre ellas. Sazone el pescado por dentro y fuera con sal y pimienta. Rellene las cavidades con porciones iguales de la mezcla de hierbas y las rebanadas de limón. Coloque los pescados, uno junto al otro, sobre una charola para hornear engrasada con aceite.

Hornee de 20 a 25 minutos, hasta que la carne del pescado se desmenuce con facilidad en tajos al picarlo ligeramente con un tenedor. Pase a un platón para servir y rocíe con aceite de oliva. Para servir cada pescado, deslice un cuchillo filoso y plano a lo largo de la espina central desde la base de la cabeza hasta la cola. Con ayuda de un tenedor para servir levante suavemente el filete superior. Levante y deseche de la espina central, dejando el filete de abajo. Utilice una cuchara para retirar las espinas que pudieran quedar cerca de la cabeza, cola y sobre la aleta dorsal del filete de abajo.

DATOS DE PESCADOS

Branzino es el término italiano para el robalo mediterráneo o europeo, no se confunda con el robalo chileno u otros pescados similares. Puede encontrarlo a la venta bajo su nombre italiano o bajo su denominación en francés *loup de mer*.

huachinango con aceitunas y jitomates

. . . .

huachinango 2 enteros (de 680 g/1 ½ lb aprox. cada uno)

aceitunas Gaeta 1 taza, sin hueso

aceite de oliva extra virgen ¼ taza más el necesario para rociar

tomillo, orégano, perejil y menta frescos 1 cucharada de cada uno, finamente picados

ajo, 1 diente, rebanado finamente

jitomates 2

sal de mar y pimienta molida

bulbo de hinojo 1, rebanado fino

rinde 4 porciones

Precaliente el horno a 200°C (400°F). Limpie y enjuague el pescado y seque con una toalla de papel. En un tazón mezcle las aceitunas, ¼ taza de aceite de oliva, tomillo, orégano, perejil, menta y ajo. Parta los jitomates en rebanadas de 6 mm (¼ in) de grueso. Usando un cuchillo filoso corte aberturas diagonales a lo largo de ambos lados de cada pescado, dejando una separación de 2 ½ cm (1 in) entre ellas. Rellene las cavidades con porciones iguales de la mezcla de hierbas, jitomate e hinojo. Coloque los pescados, uno junto al otro, sobre una charola para hornear engrasada con aceite.

Hornee hasta que la carne del pescado se desprenda fácilmente en tajos al picarlo ligeramente con un tenedor, de 30 a 35 minutos. Pase a un platón para servir y rocíe con aceite de oliva. Para servir, filetee el pescado como se indica arriba.

CAMBIE EL SABOR

Como podrá ver en estas dos recetas, usted puede utilizar una gran variedad de ingredientes para rellenar y dar sabor a un pescado entero. Experimente con jengibre y cebollín para darle un toque asiático.

cuatro modos de preparar marinadas para mariscos

marinada de limón amarillo y hierbas

aceite de oliva extra virgen
¼ taza

tomillo o eneldo fresco
1 cucharadita, picado

ralladura de limón amarillo 1 cucharadita

sal de mar y pimienta molida

rinde 4 porciones
(para 4 filetes de pescado de 170 g/6 oz)

En un tazón pequeño mezcle el aceite de oliva, tomillo y ralladura de limón. Sazone el pescado con sal y pimienta. En un plato poco profundo vierta la marinada sobre los filetes de pescado, voltee para cubrir por ambos lados y deje reposar durante 15 minutos antes de cocinar.

marinada de azafrán y cilantro

cebolla morada 1
pequeña, finamente rebanada

aceite de oliva extra virgen
¼ taza

semillas de cilantro 1 cucharada, molidas

ralladura de limón amarillo 1 cucharadita

pistilos de azafrán una pizca, desmoronados

sal de mar y pimienta molida

rinde 4 porciones
(para 4 filetes de pescado de 170 g/6 oz)

En un tazón pequeño mezcle la cebolla, aceite de oliva, semillas de cilantro, ralladura de limón y azafrán. Sazone el pescado con sal y pimienta. En un plato poco profundo vierta la marinada sobre los filetes de pescado, voltee para cubrir por ambos lados y deje reposar durante 15 minutos antes de cocinar.

marinada de hinojo y naranja

aceite de oliva extra virgen
¼ taza

ralladura de naranja 1 cucharada

rebanadas de naranja fresca o deshidratada 3

semillas de hinojo 1 cucharada, tostadas

sal de mar y pimienta molida

frondas de hinojo ¼ taza, picadas toscamente

rinde 4 porciones
(para 4 filetes de pescado de 170 g/6 oz)

En un tazón pequeño mezcle el aceite de oliva, ralladura de naranja, rebanadas de naranja y semillas de hinojo. Sazone el pescado con sal y pimienta. En un plato poco profundo vierta la marinada sobre los filetes de pescado, voltee para cubrir por ambos lados y deje reposar durante 15 minutos antes de cocinar. Esparza las frondas de hinojo sobre el pescado cocido justo antes de servir.

marinada de soya y jengibre

salsa de soya baja en sodio, 3 cucharadas

jugo fresco de limón 2 cucharadas

aceite de ajonjolí tostado
1 cucharada

jengibre fresco 2 cucharaditas, finamente picado

anís estrella 2

semillas de ajonjolí 1 cucharada, tostadas

rinde 4 porciones
(para 4 filetes de pescado de 170 g/6 oz)

En un tazón pequeño mezcle la soya, jugo de limón, aceite de ajonjolí, jengibre y anís estrella. En un plato poco profundo vierta la marinada sobre los filetes de pescado, voltee para cubrir ambos lados y deje reposar durante 15 minutos antes de cocinar. Espolvoree las semillas de ajonjolí sobre el pescado cocido justo antes de servir.

Hornear el pescado empapelado es, en general, una gran técnica: el pescado se cocina al vapor en sus propios jugos y en las especias que haya utilizado, por lo que es bajo en grasas y alto en sabor, además de ser una forma delicada de manejar el pescado más delicado. Y ¿ya mencionamos lo fácil que es de limpiar?

lenguado empapelado

PRESENTACIÓN PANACHE

Esta sencilla preparación asegura un gran espectáculo al servirlo. Como los paquetes se abren en la mesa, se desprenden los deliciosos aromas del hinojo y las hierbas, impresionando a sus invitados.

CAMBIE EL SABOR

Para un sabroso cambio en el sabor, sustituya el hinojo por 2 tazas de hojas de espinaca, divididas equitativamente ente los paquetes. Aumente la cantidad de perejil picado a 2 cucharadas por paquete y sustituya una cucharada de alcaparras por el tomillo. Proceda con la receta como se indica.

Precaliente el horno a 230°C (450°F). Corte 4 pedazos de papel encerado cada uno de 30 x 38 cm (12 x 15 in). Junte los extremos cortos de una hoja, doblándola a la mitad y haciendo un pliegue. Desdoble la hoja y coloque un filete en uno de los lados del pliegue. Sazone con sal y pimienta. Coloque 3 rebanadas de hinojo, 2 rebanadas de limón y una ramita de tomillo y de perejil sobre el pescado. Cubra con otro filete. Sazone una vez más con sal y pimienta y rocíe con 1 ½ cucharadita de aceite de oliva. Cubra con 2 rebanadas más de limón, ¼ cucharadita de semillas de hinojo y una cucharada de frondas de hinojo. Doble el extremo del papel encerado sobre el pescado y, empezando desde una orilla, doble las esquinas en triángulos sobrepuestos, hasta tener un paquete completamente sellado. Repita la operación con los ingredientes restantes para hacer 3 paquetes más.

Coloque los paquetes en una charola para hornear con borde y hornee cerca de 10 minutos, hasta que se infle y dore. Para servir, coloque cada paquete en un plato y permita que sus invitados abran sus porciones.

filetes de lenguado 8, (de 170 g/6 oz cada uno), sin piel

sal de mar y pimienta molida

hinojo 12 rebanadas delgadas más 4 cucharadas de las frondas, toscamente picadas

limón amarillo 16 rebanadas delgadas

tomillo fresco 4 ramas

perejil liso fresco 4 ramas

aceite de oliva extra virgen 2 cucharadas

semillas de hinojo 1 cucharadita, molidas

rinde 4 porciones

Este método es muy sencillo y logra sacar lo mejor de su salmón. Al mantener el filete de pescado entero, se mantendrá jugoso dentro del horno, obteniendo un platillo suculento y con un sabor muy fresco. En lugar de servirlo en platos individuales, puede permitir a sus invitados que se lo sirvan ellos mismos.

salmón horneado

filete de salmón silvestre
1 (de aproximadamente 1 ½ kg/3 lb), sin piel ni espinas

aceite de oliva extra virgen
2 cucharadas

sal de mar y pimienta molida

cebollín fresco 1 cucharada, cortado finamente con tijera

hojas de perifollo fresco 1 cucharada

perejil liso fresco
1½ cucharadita, finamente picado

rebanadas de limón amarillo 8

rinde 8 porciones

Precaliente el horno a 120°C (250°F). Cubra con papel aluminio una charola para hornear con borde.

Coloque el salmón en la charola y frote el aceite de oliva sobre todo el filete. Sazone generosamente con sal y pimienta. Coloque la piel hacia abajo y deje que alcance la temperatura ambiente.

Hornee de 20 a 25 minutos, hasta que el salmón esté opaco por fuera y no haya resistencia al picarlo con un pincho para brocheta. Deje reposar durante 5 minutos antes de servir.

Al servir, utilice un tenedor para desmenuzar el salmón en trozos grandes. Acomode en platos individuales, espolvoree con el cebollín, perifollo y perejil y decore con las rebanadas de limón.

ACOMPAÑE CON

Nos gusta servir este salmón con papas cambray calientes, crème fraîche y alcaparras. Los espárragos delgados también son una buena guarnición.

cuatro modos de preparar mejillones

mejillones provenzal

mantequilla sin sal 2 cucharadas

chalote 1, finamente picado

ajo 2 dientes, finamente picados

vino blanco seco ½ taza

crema espesa ¼ taza

mejillones 750 g (1 ½ lb), limpios

hojas de perejil liso fresco 2 cucharadas, picado

estragón fresco 1 cucharada, picado

pan crujiente para acompañar

rinde 4 porciones

En un wok o en una sartén grande sobre fuego medio derrita la mantequilla. Agregue el chalote y el ajo y saltee aproximadamente 2 minutos, hasta que aromaticen. Añada el vino y la crema y cocine a fuego bajo de 7 a 10 minutos, hasta que espese el líquido. Eleve el fuego a alto, agregue los mejillones y mezcle. Tape y cocine de 3 a 5 minutos, moviendo ocasionalmente, hasta que se abran los mejillones.

Utilizando una cuchara ranurada pase los mejillones a 4 tazones para servir, desechando los que no hayan abierto. Usando un cucharón vierta el líquido sobre los mejillones, decore con perejil y estragón y acompañe con pan.

mejillones con azafrán y jitomate

aceite de oliva extra virgen 3 cucharadas

ajo 3 dientes, finamente picados

hojuelas de chile rojo ½ cucharadita

jitomate enlatado en trozos 1 taza, con su jugo

vermouth ½ taza

pistilos de azafrán una pizca, tostados, molidos y disueltos en una cucharada de agua caliente

mejillones 750 g (1 ½ lb), tallados y sin barbas

hojas de albahaca fresca ⅓ taza, cortadas en tiras delgadas

pan crujiente para acompañar

rinde 4 porciones

En un wok o una sartén grande sobre fuego medio, caliente el aceite hasta que brille. Agregue el ajo y las hojuelas de chile al gusto y saltee cerca de 2 minutos, hasta que aromaticen. Añada el jitomate y sus jugos, vermouth y azafrán. Eleve el fuego a medio-alto y deje hervir durante 3 minutos para incorporar los sabores. Eleve el fuego a alto, agregue los mejillones y mezcle. Tape y cocine de 3 a 5 minutos, moviendo ocasionalmente, hasta que los mejillones se abran.

Utilizando una cuchara ranurada pase los mejillones a 4 tazones para servir, desechando de los que no se hayan abierto. Usando un cucharón vierta el líquido sobre los mejillones, espolvoree con la albahaca y acompañe con pan.

mejillones tai con curry verde

lemongrass 1 tallo

leche de coco 1 lata (410 ml/14 fl oz)

pasta verde de curry tai 1 cucharada

salsa de pescado asiática 1 cucharada

hoja de limón kaffir 1

mejillones 750 g (1 ½ lb), tallados y sin barbas

chile tai 1 pequeño, sin semillas y finamente picado

cilantro 3 cucharadas, picado

pan crujiente para acompañar

rinde 4 porciones

Corte la tercera parte inferior del lemongrass en trozos de 2 ½ cm (1 in). Presione los trozos con el lado plano de un cuchillo para chef.

En un wok o en una sartén grande sobre fuego medio, caliente la leche de coco. Agregue el lemongrass, pasta de curry, salsa de pescado y hoja de limón y hierva aproximadamente 3 minutos, hasta que aromaticen. Eleve el fuego a alto, agregue los mejillones y mezcle. Tape y cocine de 3 a 5 minutos, moviendo ocasionalmente, hasta que los mejillones se abran.

Utilizando una cuchara ranurada pase los mejillones a 4 tazones para servir, desechando los que no hayan abierto. Usando un cucharón vierta el líquido sobre los mejillones, decore con el chile y el cilantro y acompañe con pan.

mejillones con limón amarillo y cerveza

mantequilla sin sal 2 cucharadas

chalotes 2, finamente picados

sal de mar y pimienta verde

cerveza ale ligera estilo belga 1 taza

mejillones 750 g (1 ½ lb), tallados y sin barbas

ralladura de limón amarillo 2 cucharaditas

crema espesa ¼ taza

perejil liso fresco 1 cucharada, finamente picado

pan crujiente para acompañar

rinde 4 porciones

En una olla grande sobre fuego medio derrita la mantequilla. Agregue el chalote y saltee de 2 a 3 minutos, hasta que aromatice. Sazone con sal y pimienta. Suba el fuego a alto, agregue la cerveza y los mejillones y mezcle. Tape y cocine de 3 a 5 minutos, moviendo ocasionalmente, hasta que los mejillones se abran.

Utilizando una cuchara ranurada pase los mejillones a 4 tazones para servir, desechando los que no hayan abierto. Integre la ralladura de limón y la crema con el líquido de cocimiento y hierva aproximadamente 5 minutos, hasta que espese. Usando una cuchara vierta el líquido sobre los mejillones, decore con perejil y acompañe con pan.

callo de hacha a la parrilla con salmoriglio

ajo 2 dientes, finamente picados

ralladura de limón ½ cucharadita

jugo fresco de limón ¼ taza

aceite de oliva extra virgen ¼ taza más el necesario para barnizar

orégano fresco 2 cucharaditas, finamente picado

callos de hacha de mar 40

sal de mar y pimienta molida

perejil liso fresco 1 cucharadita, finamente picado

rinde de 6 a 8 porciones

Precaliente un asador a fuego medio-alto y engrase la rejilla con aceite. Si su rejilla tiene las separaciones muy grandes, utilice una canasta para asar.

En un tazón pequeño mezcle el ajo con la ralladura y el jugo de limón. Bata constantemente, agregue ¼ taza de aceite de oliva en hilo lento y continuo. Agregue el orégano y bata ligeramente para integrar.

Enjuague el callo de hacha y seque perfectamente con toallas de papel. Barnice el callo de hacha por ambos lados con aceite de oliva y sazone generosamente con sal y pimienta. Ase el callo de hacha durante 1 ó 2 minutos por lado, volteando una sola vez, hasta que se marquen las líneas de las rejillas.

Acomode el callo de hacha sobre un platón para servir y bañe con la salsa. Decore con el perejil y sirva de inmediato.

brochetas de camarón con lemongrass

camarones grandes 36

jugo de limón fresco 2 cucharadas

salsa de pescado asiática 1 cucharada

azúcar morena 1 cucharada

chile rojo 1 pequeño, sin semillas y finamente picado

lemongrass 1 cucharada, finamente picado (sólo la parte blanca), más 12 tallos (opcional)

cilantro ½ taza, finamente picado

rinde 6 porciones

Pele y limpie los camarones dejando las colas intactas. En un tazón pequeño bata el jugo de limón, salsa de pescado, azúcar morena, chile y lemongrass picado. Coloque la marinada en una bolsa de plástico con cierre y agregue los camarones. Cierre la bolsa y mueva la bolsa para que los camarones queden cubiertos con la marinada. Marine durante 30 minutos.

Retire las hojas duras del exterior de los tallos de lemongrass y corte los tallos en trozos de 15 cm (6 in) de largo para utilizar como brochetas. (O, si prefiere, utilice brochetas de bambú de 15 cm de largo.) Remoje las brochetas en agua fría durante 30 minutos.

Precaliente un asador a fuego medio-alto y engrase la rejilla con aceite. Ensarte 3 camarones en cada brocheta. Coloque las brochetas en la parrilla y ase de 2 a 3 minutos en total, volteando solamente una vez, hasta que se marquen algunas líneas de la rejilla. Decore con cilantro (si lo usa) y sirva de inmediato.

brochetas de calamar remojado en cítricos

....

calamares 6 (cada uno de 225 g/½ lb), limpios

sal de mar y pimienta molida

toronja pomelo 1 grande

hojas de menta fresca ½ taza, troceadas

cebolla morada ½, finamente rebanada

chile tai rojo 1 pequeño, sin semillas y finamente picado

rinde 4 porciones

Remoje de 12 a 16 brochetas de madera en agua. Precaliente un asador a fuego alto y engrase la rejilla con aceite.

Utilizando un cuchillo filoso corte a lo largo de un lado del calamar, ábralo y extiéndalo. Marque la piel con líneas haciendo cuadros. Corte el calamar en trozos del tamaño de un bocado y ensarte en las brochetas remojadas. Sazone generosamente con sal y pimienta y reserve.

Usando un cuchillo filoso pele y separe la toronja en gajos (página 250), dejando caer los gajos en un tazón. Pique en trozos del tamaño de un bocado. Agregue la menta, cebolla morada y chile y mezcle hasta integrar por completo. Sazone al gusto con sal y pimienta.

Ase el calamar durante 1 ó 2 minutos, volteando una sola vez, hasta que se marquen las líneas de la rejilla. Acomode los brochetas en un platón, bañe con la mezcla de toronja y sirva.

brochetas de atún sellado con pimienta

....

granos de pimienta de diferentes colores 3 cucharadas

sal de mar 1 cucharada

páprika 1 cucharadita

lomo de atún calidad sushi 900 g (2 lb)

aceite de oliva extra virgen ½ taza

limones amarillos 2, rebanados

rinde de 4 a 6 porciones

Precaliente un asador a fuego alto. En un molino para especias muela finamente los granos de pimienta.

En un tazón mezcle la pimienta molida, sal y páprika. Coloque el lomo de atún en una tabla para picar y corte en trozos de 4 cm (1/2 in) de grueso y entre 10 y 12 cm (4-5 in) de largo. Ruede cada trozo de atún en la mezcla de condimentos y coloque en un plato.

Rocíe el atún condimentado con la mitad del aceite de oliva y coloque en la parrilla. Ase durante 4 minutos en total para término medio-rojo, volteando para dorar por todos lados. Deje reposar el atún en una tabla para picar durante unos minutos y corte cada pieza en 4 cubos iguales. Alinee los cubos en línea recta con el corte hacia arriba. Ensarte un pincho para brocheta a través del centro de cada serie de 3 ó 4 cubos. Pase a un platón de servicio, rocíe con el aceite de oliva restante y sirva acompañando con las rebanadas de limón.

Éste es un platillo de pasta grandioso y sencillo, ya que lo más importante es la calidad de los mariscos. Asegúrese de usar almejas y mejillones muy frescos. Nos gusta utilizar mejillones canadienses de Prince Edward Island (P.E.I.) cuando es posible y combinar con unas pequeñas y jugosas almejas Manila.

linguine de mariscos con poro, hinojo y limón amarillo

· ·

mejillones 230 g (½ lb)

almejas Manila o cherrystone 230 g (½ lb)

poro 1 grande, sólo las partes blancas y verde pálido, enjuagado

bulbo de hinojo 1 pequeño

linguine 450 g (1 lb)

aceite de oliva extra virgen 4 cucharadas

ralladura y jugo de limón amarillo de 1 limón

sal de mar y pimienta molida

rinde de 4 a 6 porciones

Ponga a hervir una olla grande con agua con sal. Mientras tanto, talle las almejas y mejillones debajo del chorro de agua. Deseche aquellos que estén despostillados o que no cierren al golpearlos ligeramente, y retire las barbas si fuera necesario.

Rebane el poro en anillos delgados y separe. Retire las hojas del bulbo de hinojo, picando y reservando las frondas para decorar. Utilice una mandolina para rebanar el hinojo finamente.

Cuando el agua suelte el hervor agregue el linguine y cocine de acuerdo a las indicaciones del paquete, moviendo ocasionalmente para evitar que se pegue la pasta, hasta que esté al dente.

Mientras se cocina la pasta, caliente una sartén grande sobre fuego medio. Cuando la sartén esté caliente, agregue 2 cucharadas de aceite de oliva. Añada el poro y cocine alrededor de 2 minutos, moviendo, sólo hasta que se empiece a suavizar. Agregue los mejillones, almejas, hinojo, jugo de limón, ½ cucharadita de sal y ½ cucharadita de pimienta. Tape la sartén y cocine al vapor de 3 a 5 minutos, hasta que se abran los mariscos. Deseche aquellos que no se hayan abierto.

Escurra el linguine y agregue a la sartén de inmediato. Revuelva el linguine con los mariscos hasta integrar por completo. Pase a un platón de servicio o a tazones individuales. Rocíe con 2 cucharadas de aceite de oliva y decore con las frondas de hinojo y ralladura de limón. Sirva de inmediato.

ACOMPAÑE CON

Nos encanta servir un tazón grande de pasta con mariscos acompañado con una barra de pan crujiente, una sencilla ensalada verde aderezada con la Vinagreta de Limón y Tomillo de Jamie (la favorita de Alison, página 96)) y un vino Vernaccia o Sauvignon Blanc. Al igual que los italianos, nosotros jamás ponemos queso parmesano sobre una pasta con mariscos.

VARIACIÓN

Si no le fascinan los mejillones o almejas, no se desanime. Usted también puede hacer este linguine con cangrejo o camarón. Simplemente use la misma cantidad, aproximadamente de 450 g (1 lb) de mariscos.

Este pesto es probablemente distinto a cualquier otro que usted haya probado. La pobre coliflor a menudo se hierve o cubre completamente con queso y se gratina. Aquí, la hemos elevado a un nivel mucho más alto y digno. Al prepararla a la parrilla desprende un delicioso sabor a nuez que combina perfectamente con pasta.

spaghettini con pesto de coliflor

. . . .

VARIACIONES DE PESTO

Existen millones de pestos diferentes que experimentar, por lo que debe ser creativo con los ingredientes que incluye en su pasta. Hemos incluido cuatro ideas más (página 143) que aprovechan al máximo los ingredientes de temporada. No se arrepentirá cuando sirva pesto con spaghettini o linguine.

ADORNE

En ocasiones nos gusta servir la pasta en un plato individual en lugar de llevar en un platón a la mesa, al estilo familiar. Ponemos una porción de fideos en un tazón poco profundo, colocamos el tazón sobre un plato más grande y servimos un poco de ensalada a un lado. Es una forma limpia y con estilo de presentar un platillo.

Precaliente una sartén para asar sobre la estufa a fuego alto.

Sazone las flores de coliflor con sal y pimienta. Coloque sobre la sartén y cocine de 6 a 8 minutos, volteando ocasionalmente, hasta tostar por todos lados. Pase la coliflor a un procesador de alimentos y agregue el aceite de oliva, perejil, almendras, alcaparras y ajo. Pulse hasta que la mezcla se incorpore pero siga gruesa. Reserve.

Hierva agua con sal en una olla grande. Agregue el spaghettini y cocine de acuerdo a las indicaciones del paquete, moviendo ocasionalmente para evitar que se pegue la pasta, hasta que la pasta esté al dente. Escurra y pase a un tazón para servir. Revuelva con el pesto de coliflor y queso parmesano. Sirva de inmediato.

coliflor 1 cabeza pequeña, descorazonada y cortada en flores de 2 ½ cm (1 in)

sal de mar y pimienta molida

aceite de oliva extra virgen 1 taza

hojas de perejil fresco de hoja plana 1 taza

almendras ½ taza, tostadas

alcaparras 2 cucharadas

ajo 2 dientes, finamente picados

spaghettini 450 g (1 lb)

queso parmesano 1 taza, rallado

rinde de 4 a 6 porciones

cuatro modos de preparar pesto

pesto de limón amarillo y albahaca

hojas de albahaca fresca 2 tazas (1 manojo)

queso parmesano 6 cucharadas, recién rallado

piñones 2 cucharadas, tostados

ajo 2 dientes, machacados

aceite de oliva extra virgen 6 cucharadas

sal de mar y pimienta molida

ralladura y jugo de limón amarillo fresco de 2 limones

rinde de 4 a 6 porciones
(con 450 g / 1 lb de pasta)

En una licuadora o procesador de alimentos mezcle la albahaca, queso parmesano, piñones y ajo y pulse hasta picar finamente. Con el procesador encendido, agregue el aceite de oliva y procese hasta obtener un puré terso. Sazone al gusto con sal y pimienta. Incorpore la ralladura y el jugo de limón. O, si decide utilizar un mortero o molcajete con su mano, muela los piñones, ajo y ralladura de limón hasta obtener una pasta espesa. Agregue la albahaca y continúe moliendo hasta obtener una mezcla tersa. Pase a un tazón grande e incorpore el aceite de oliva, jugo de limón y queso parmesano. Sazone al gusto con sal y pimienta.

Utilice de inmediato o tape con plástico adherente, presionándolo sobre la superficie, y refrigere hasta por una semana.

pesto de hongos shiitake

aceite de oliva extra virgen 5 cucharadas

hongos shiitake 280 g (10 oz), finamente picados en un procesador de alimentos

ajo 1 diente, finamente picado

sal de mar y pimienta molida

salsa inglesa 1 cucharada

jerez semi-seco 1 cucharada (opcional)

piñones ¼ taza, tostados

queso parmesano ¼ taza, recién rallado

hojas de perejil liso fresco ½ taza compacta

rinde de 4 a 6 porciones
(con 450 g / 1 lb de pasta)

En una sartén para freír antiadherente de 25 ó 30 cm (10-12 in) sobre fuego medio-alto, caliente 2 cucharadas de aceite de oliva hasta que brille. Agregue los hongos, ajo y sal y pimienta al gusto. Saltee alrededor de 10 minutos, hasta que los hongos estén dorados y se evapore todo el líquido. Añada la salsa inglesa y el jerez (si lo usa). Pruebe y rectifique la sazón.

Pase a un procesador de alimentos, agregue los piñones, parmesano y 3 cucharadas de aceite de oliva y procese hasta obtener un puré terso. Añada el perejil y procese hasta picar finamente. Utilice de inmediato o cubra con plástico adherente, presionándolo sobre la superficie, y refrigere hasta por una semana.

pesto de berenjena, piquillo y nuez

berenjena 1 grande, en rebanadas de 6 mm (¼ in) de grueso

sal de mar y pimienta molida

aceite de oliva extra virgen 2 cucharadas más ½ taza

pimientos del piquillo en frasco 1 taza, drenados

hojas de menta fresca 1 taza

hojas de perejil liso fresco ½ taza

nueces o pistaches ½ taza, tostados

queso Manchego español ½ taza, rallado toscamente

ajo 1 diente, finamente picado

rinde de 4 a 6 porciones
(con 450 g / 1 lb de pasta)

Precaliente un asador o una sartén para asar sobre la estufa a fuego alto.

Sazone generosamente las rebanadas de berenjena por ambos lados con sal y pimienta y barnice ligeramente con 2 cucharadas de aceite de oliva. Coloque en la parrilla o en la sartén y ase alrededor de 3 minutos, volteando ocasionalmente, hasta que queden bien asadas por ambos lados. Cuando se enfríen y puedan tocarse, pase a una superficie trabajo y pique toscamente. Pique toscamente los pimientos. En un procesador de alimentos mezcle la berenjena, pimientos, ½ taza de aceite de oliva, menta, perejil, nueces, queso y ajo. Pulse hasta que se combinen los ingredientes pero la mezcla siga consistente. Utilice de inmediato o cubra con plástico adherente, presionándolo sobre la superficie, y refrigere hasta por una semana.

pesto de almendra y menta

almendras sin sal ¼ taza más 2 cucharadas, tostadas y toscamente picadas

aceite de oliva extra virgen ⅓ taza

dientes de ajo 3, picados

hojas de menta fresca 1 taza

hojas de albahaca fresca ¾ taza

queso parmesano ¼ taza, recién rallado

sal de mar y pimienta molida

rinde de 4 a 6 porciones
(con 450 g / 1 lb de pasta)

En un procesador de alimentos mezcle ¼ taza de almendras, aceite de oliva y ajo, procese hasta obtener un puré terso. Agregue la menta, albahaca y parmesano y siga moliendo hasta que tenga una consistencia tersa. Sazone al gusto con sal y pimienta. Utilice de inmediato o tape con plástico adherente, presionándolo sobre la superficie, y refrigere hasta por una semana.

Para servir, mezcle el pesto con la pasta y decore con 2 cucharadas de almendras.

El pollo sabe mejor cuando se asa entero, y este platillo clásico le encanta a mucha gente. Si espera invitados y no sabe qué cocinar, ase un pollo y dele un toque de sabor poniendo unas hierbas o cítricos debajo de su piel antes de rostizarlo.

pollo rostizado con hierbas de primavera

pollos orgánicos de granja 2 enteros (de aproximadamente 1 ½ kg/3 ½ lb cada uno)

tomillo, estragón y perejil liso frescos, 10 ramas de cada uno más 2 ramas de cada uno para decorar

aceite de oliva extra virgen 2 cucharadas

sal de mar y pimienta molida

rinde 8 porciones

Precaliente el horno a 200°C (400°F). Seque bien los pollos con toallas de papel.

Coloque un pollo, con la pechuga hacia arriba, sobre una superficie de trabajo. Comenzando por la cavidad del cuello, deslice sus dedos por debajo de la piel y sepárela suavemente de la pechuga por ambos lados, cuidando de no desgarrar la piel. Meta 4 ramas de cada hierba debajo de la piel, distribuyéndolas de la manera más uniforme posible. Repita la operación con el otro pollo y la misma cantidad de hierbas. Coloque una rama de cada hierba en la cavidad de cada pollo.

Frote los pollos por todos lados con aceite de oliva y sazone con sal y pimienta por dentro y por fuera. Coloque los pollos, con la pechuga hacia arriba, en una rejilla para rostizar en V colocada sobre una charola para asar. Ase alrededor de una hora, hasta que al picar la parte más gruesa del muslo los jugos salgan claros.

Retire los pollos del horno y deje reposar durante 10 minutos. Utilizando una tijera para aves retire las piernas enteras y separe las alas y los muslos. Corte a través del centro de cada pollo, comenzando por la espoleta, y después por debajo de la pechuga para separarla de la carcasa. Corte cada pechuga a la mitad a través del hueso.

Acomode las piezas de pollo en un platón de servicio. Vierta los jugos restantes sobre el pollo (primero retire el exceso de grasa con una cuchara) o reserve para hacer una salsa a la sartén (página 146). Decore con las hierbas reservadas y sirva de inmediato.

CAMBIE EL SABOR

Limón amarillo cristalizado Sustituya las hierbas con un limón cristalizado cortado en rebanadas de 3 mm (⅛-in), introduciendo las rebanadas entre la piel y la pechuga. Mezcle 2 cucharadas de *ras el hanout* en el aceite de oliva antes de frotar sobre el pollo.

Chorizo Retire la cubierta de un chorizo crudo de 230 g (1/2 lb) y divídalo en 4 bolas. Meta el chorizo entre la piel y la pechuga, utilizando sus dedos para esparcirlo sobre cada pechuga.

Ricotta y hierbas Mezcle 2 tazas de queso ricotta con una cucharada de perejil, cebollín o estragón picado. Divida la mezcla en 4 bolas. Meta las bolas de ricotta entre la piel y la pechuga, utilizando sus dedos para esparcir sobre cada pechuga.

cuatro modos de preparar salsas a la sartén

salsa de grosella y vino tinto

vino tinto seco 2 tazas

caldo de pollo 4 tazas

jalea de grosella roja 2 cucharadas

grosellas rojas frescas 1 taza

mantequilla sin sal 2 cucharadas

sal de mar y pimienta molida

rinde 8 porciones (con el pollo rostizado de la página 145)

Después de haber rostizado el pollo, páselo a un platón. Utilizando una cuchara retire el exceso de grasa que haya quedado en la charola para asar. Coloque la charola sobre fuego medio ocupando 1 ó 2 quemadores. Para desglasar, agregue el vino, lleve a ebullición y deje hervir durante 2 minutos, moviendo con una cuchara de madera para desprender los residuos que hayan quedado adheridos a la charola. Agregue el caldo de pollo y hierva hasta que el líquido se reduzca a la mitad. Añada la jalea y las grosellas y cocine a fuego bajo durante un minuto. Agregue la mantequilla y mezcle hasta incorporar por completo. Sazone al gusto con sal y pimienta. Retire del fuego y sirva con el pollo rostizado.

salsa de chalote, mostaza y tomillo

chalotes ½ taza, finamente picados

vino blanco seco 2 tazas

caldo de pollo 4 tazas

mantequilla sin sal 1 cucharada

mostaza de grano 1 cucharada

tomillo fresco 1 cucharada, finamente picado

sal de mar y pimienta molida

rinde 8 porciones (con el pollo rostizado página 145)

Después de haber rostizado el pollo, páselo a un platón. Utilizando una cuchara retire el exceso de grasa que haya quedado en la charola para asar. Coloque la charola sobre fuego medio ocupando 1 ó 2 quemadores. Para desglasar, agregue los chalotes y el vino, lleve a ebullición y hierva durante 2 minutos, mezclando con una cuchara de madera para retirar los residuos que hayan quedado adheridos a la charola. Agregue el caldo de pollo y hierva hasta que el líquido se reduzca a la mitad. Cocine a fuego bajo. Añada la mantequilla, mostaza y tomillo y mezcle hasta incorporar por completo. Sazone al gusto con sal y pimienta. Retire del fuego y sirva con el pollo rostizado.

salsa de vino blanco y estragón

vino blanco seco 2 tazas

caldo de pollo 4 tazas

mantequilla sin sal 1 cucharada

mostaza de estragón o dijon 1 cucharada

estragón fresco 1 cucharada, finamente picado

cebollín 1 cucharada, cortado finamente con tijera

sal de mar y pimienta molida

rinde 8 porciones (con el pollo rostizado de la página 145)

Después de haber rostizado el pollo, páselo a un platón. Utilizando una cuchara retire el exceso de grasa que haya quedado en la charola para asar. Coloque la charola sobre fuego medio ocupando 1 ó 2 quemadores. Para desglasar, agregue el vino, lleve a ebullición y hierva durante 2 minutos, moviendo con una cuchara de madera para desprender los residuos que hayan quedado adheridos a la charola. Agregue el caldo de pollo y hierva hasta que el líquido se reduzca a la mitad. Baje el fuego a una ebullición lenta y agregue la mantequilla y la mostaza mezclando hasta incorporar por completo. Retire del fuego e incorpore el estragón y cebollín. Sazone al gusto con sal y pimienta. Sirva con el pollo rostizado.

salsa de oporto, higo y naranja

oporto tawny 2 tazas

caldo de pollo 4 tazas

higos negros Mission 3, finamente picados

ralladura de naranja ¼ cucharadita

mantequilla sin sal 2 cucharadas

perejil liso fresco 1 cucharada, finamente picado

sal de mar y pimienta molida

rinde 8 porciones (con el pollo rostizado de la página 145)

Después de haber rostizado el pollo, páselo a un platón. Utilizando una cuchara retire el exceso de grasa que haya quedado en la charola para asar. Coloque la charola sobre fuego medio ocupando 1 ó 2 quemadores. Para desglasar, agregue el oporto, lleve a ebullición y hierva durante 2 minutos, moviendo con una cuchara de madera para desprender los residuos que hayan quedado adheridos a la charola. Agregue el caldo de pollo y hierva hasta que el líquido se reduzca a la mitad. Añada los higos y la ralladura de naranja y hierva a fuego lento durante un minuto. Agregue la mantequilla y bata hasta incorporar por completo. Retire del fuego y agregue el perejil. Sazone al gusto con sal y pimienta. Sirva con el pollo rostizado.

cuatro modos de preparar brochetas a la parrilla

pollo con chabacanos y almendras

yogurt griego natural ½ taza

semillas de cilantro 1 cucharada, machacadas

ajo 1 diente, finamente picado

cúrcuma, comino y pimienta de cayena molidos ½ cucharadita de cada uno

sal y pimienta molida

pechugas de pollo sin piel ni hueso 2

chabacanos 4

aceite de oliva extra virgen 4 cucharadas

almendras blanqueadas ½ taza, tostadas

menta fresca 1¼ taza

rebanadas de limón amarillo para acompañar

rinde 4 porciones

En un tazón mezcle el yogurt con las semillas de cilantro, ajo, cúrcuma, comino, pimienta de cayena y sal y pimienta al gusto. Corte el pollo en cubos de 2 ½ cm (1 in) e integre con la mezcla de yogurt. Refrigere por lo menos 6 horas o durante toda la noche.

Remoje en agua 8 pinchos de bamboo para brocheta. Precaliente un asador o una sartén para asar sobre la estufa a fuego alto y engrase ligeramente con aceite. Corte cada chabacano en 6 rebanadas y revuelva con 2 cucharadas de aceite de oliva. Ensarte aproximadamente 4 cubos de pollo y 3 rebanadas de chabacano en cada brocheta, alternándolos. Coloque las brochetas en la parrilla caliente y cocine de 4 a 5 minutos por cada lado, volteando una sola vez, hasta que se marquen las rallas de la parrilla. Pase a un platón, esparza las almendras y la menta sobre las brochetas y acompañe con las rebanadas de limón a un lado. Rocíe con el aceite de oliva restante y sirva.

cordero con granada roja

cordero molido toscamente 450 g (1 lb)

ajo 2 dientes, finamente picados

aceite de oliva extra virgen 1 cucharada más el necesario para rociar

comino molido 1 cucharadita

canela molida ¼ cucharadita

perejil liso fresco ½ taza, picado

sal y pimienta molida

granada 1

cebolla morada ½, finamente rebanada

hojas de arúgula silvestre 2 tazas

limón amarillo 1

rinde 4 porciones

En un tazón mezcle el cordero con el ajo, una cucharada de aceite de oliva, comino, canela y perejil. Sazone generosamente con sal y pimienta y revuelva con sus manos hasta integrar por completo. Refrigere durante 3 hrs.

Desgrane la granada roja (página 250), seque las semillas con toallas de papel y reserve.

Remoje en agua 8 pinchos de bambú para brocheta. Precaliente un asador o una sartén para asar sobre la estufa a fuego medio-alto y engrase ligeramente con aceite. Divida la mezcla de cordero en 8 porciones. Utilizando sus manos, presione cada porción de cordero sobre una brocheta, formando una croqueta plana y larga.

Ase alrededor de 4 minutos por lado, volteando una sola vez, hasta dorar uniformemente. Pase las brochetas a un platón, esparza la granada roja, cebolla morada y arúgula sobre las brochetas y rocíe con aceite de oliva. Acompañe con rebanadas de limón amarillo.

pollo con aceitunas y queso feta

pechugas de pollo sin piel ni hueso 2, picadas en cubos de 2 ½ cm (1 in)

ajo 1½ cucharadita, finamente picado

tomillo fresco 1½ cucharadita, finamente picado

romero fresco 1½ cucharadita, finamente picado

aceite de oliva extra virgen ¼ taza

sal y pimienta molida

queso feta 1 taza, desmoronado

aceitunas sin hueso tipo Kalamata ½ taza

perejil liso fresco ½ taza, picado

limón amarillo 1

rinde 4 porciones

En un tazón pequeño mezcle el pollo, ajo, tomillo, romero y aceite de oliva. Refrigere por lo menos 6 horas o durante toda la noche.

Remoje en agua 8 pinchos de bamboo para brocheta. Precaliente un asador o una sartén para asar sobre la estufa a fuego medio-alto y engrase ligeramente con aceite. Barnice las piezas de pollo con gran parte de la marinada y ensarte aproximadamente 5 piezas de pollo en cada brocheta. Sazone generosamente con sal y pimienta. Coloque las brochetas en la parrilla caliente y ase de 4 a 5 minutos por lado, volteando una sola vez, hasta que se marquen las rallas de la parrilla. Pase a un platón, esparza el feta, aceitunas y perejil sobre las brochetas. Acompañe con las rebanadas de limón.

berenjena, calabacita y calabaza

berenjenas delgadas 2, cortadas en rodajas de 1 cm (½ in)

calabaza globo 2, cortadas en rodajas de 1 cm (½ in)

calabacitas 2, cortadas en rodajas de 1 cm (½ in)

perejil liso fresco ½ taza, toscamente picado

menta fresca ½ taza, toscamente picada

ralladura y jugo de limón amarillo de 1 limón

alcaparras 1 cucharada

aceite de oliva extra virgen ½ taza más el necesario para barnizar

sal y pimienta molida

rinde 4 porciones

Remoje en agua 8 pinchos de bamboo para brocheta. Precaliente un asador o una sartén para asar sobre la estufa a fuego medio-alto y engrase ligeramente con aceite. Utilizando un cuchillo filoso marque rayas en ambos lados de las rodajas de berenjena, calabaza y calabacita. Ensarte la berenjena, calabaza y calabacita en las brochetas, utilizando aproximadamente 5 piezas en cada brocheta y alternándolas.

En un tazón pequeño mezcle el perejil, menta, ralladura y jugo de limón, alcaparras y ½ taza de aceite de oliva. Sazone con sal y pimienta y reserve.

Barnice las brochetas con aceite de oliva y coloque en la parrilla caliente. Ase de 2 a 3 minutos, volteando una sola vez, hasta que se marquen las rayas de la parrilla. Pase a un platón, rocíe con la salsa y sirva.

El cerdo es la carne que más se come en todo el mundo. Esto se confirma en nuestra casa. Trate de obtener carne orgánica de la mejor calidad con un buen proveedor local, criada en forma sustentable. O, pídala a Niman Ranch, quienes envían productos porcinos de alta calidad.

chuletas de cerdo con frijoles pintos y tomillo

VARIACIÓN

Nos gusta cocinar con diferentes tipos de frijoles frescos con vaina, muchos de los cuales se encuentran en el mercado a fines del verano y principios del otoño. En esta receta puede usar casi cualquier variedad, desde los flageolet o Jacob's cattle hasta las alubias. O, experimente con frijoles borlotti o canellini y utilice salvia en lugar de tomillo.

Trabajando con una chuleta de puerco a la vez, envuelva una rebanada de pancetta alrededor de la orilla de cada chuleta. Asegure con un palillo, sazone la chuleta con sal y pimienta y reserve. Repita la operación con las chuletas y la pancetta restantes.

En una sartén sobre fuego medio, caliente 2 cucharadas de aceite de oliva. Agregue el ajo y chalote y saltee alrededor de 2 minutos, hasta dorar ligeramente. Añada el caldo y lleve a ebullición. Añada los frijoles y el tomillo y hierva a fuego lento alrededor de 10 minutos, hasta que los frijoles se abran. Integre la pasta de jitomate y la mostaza; sazone generosamente con sal y pimienta. Apague el fuego pero deje la sartén sobre el quemador para mantenerla caliente.

En una sartén grande sobre fuego medio-alto caliente 2 cucharadas de aceite de oliva hasta que brille. Saltee las chuletas de cerdo de 4 a 6 minutos por lado, volteando una sola vez, hasta dorar por ambos lados y que la pancetta esté crujiente. Si las chuletas se doran demasiado rápido, baje el fuego a medio.

Divida los frijoles calientes en platos individuales, cubra cada porción con una chuleta y espolvoree con perejil. Rocíe ligeramente con aceite de oliva y sirva de inmediato.

chuletas de cerdo 4 (cada una de 230 g/8 oz y de 2 ½ cm/1 in de grueso)

pancetta o tocino 4 rebanadas

sal de mar y pimienta molida

aceite de oliva extra virgen 4 cucharadas más el necesario para rociar

ajo 4 dientes, machacados

chalote 1, finamente picado

caldo de pollo 3 tazas

frijoles frescos 2 tazas (o frijoles secos cocidos)

tomillo fresco 1 cucharada, finamente picado

pasta de jitomate 2 cucharadas

mostaza de grano 2 cucharadas

perejil liso fresco ½ taza, picado

rinde 4 porciones

cuatro modos de preparar lomo de cerdo

lomo horneado con ensalada de lenteja

lentejas Puy 1 taza

ajo 4 dientes, finamente rebanados

hoja de laurel 1

caldo de pollo 6 tazas

sal y pimienta molida

lomo de cerdo 1 (de aproximadamente 450 g/1 lb), sin exceso de grasa

aceite de oliva extra virgen 1 cucharada más ¼ taza

romero fresco 4 ramas

mostaza en grano y vinagre de vino tinto 1 cucharada de cada uno

cebolla morada ½, finamente rebanada

hojas de perejil liso fresco ½ taza

rinde 4 porciones

En una olla mezcle las lentejas, la mitad del ajo, hoja de laurel y caldo. Sazone al gusto con sal y pimienta. Lleve a ebullición y cuando suelte el hervor baje el fuego y hierva las lentejas alrededor de 45 minutos, hasta suavizar. Deje enfriar en el caldo.

Precaliente el horno a 200°C (400°F). Sazone el cerdo con sal y pimienta. En una sartén resistente al horno sobre fuego medio-alto caliente una cucharada de aceite de oliva. Selle el cerdo de 6 a 8 minutos en total, volteando ocasionalmente, hasta dorar. Agregue el ajo restante y el romero. Coloque en el horno y ase el cerdo de 15 a 20 minutos, hasta que los jugos salgan claros al picarlo con un cuchillo. Retire del horno y deje reposar durante 5 mins.

Mientras tanto, escurra las lentejas y coloque en un tazón. Agregue 1/4 taza de aceite de oliva, mostaza, vinagre, cebolla y perejil. Sazone y mezcle. Extienda en un platón para servir. En rebanadas delgadas, acomode el cerdo sobre las lentejas y sirva.

lomo glaseado con pera y tomillo

lomo de cerdo 1 (de aproximadamente 450 g/1 lb), sin el exceso de grasa

sal y pimienta molida

aceite de oliva extra virgen 1 cucharada

cebolla morada 1, en rebanadas de 3 mm (⅛-in)

peras Forelle o Bosc 4, descorazonadas y cada una partida en 8 rebanadas

miel de abeja 2 cucharadas

vinagre balsámico 1 cucharada

hojas de tomillo fresco de 12 ramas

rinde 4 porciones

Precaliente el horno a 200°C (400°F). Sazone el cerdo generosamente con sal y pimienta.

En una sartén resistente al horno sobre fuego medio-alto caliente el aceite de oliva hasta que brille. Selle el cerdo de 6 a 8 minutos en total, volteando ocasionalmente, hasta dorar. Pase el cerdo a un plato. Agregue la cebolla y las peras a la sartén y saltee durante un minuto. Regrese el cerdo a la sartén y rocíe con la miel y el vinagre. Extienda las hojas de tomillo en la sartén. Coloque en el horno y deje asar de 15 a 20 minutos, hasta que al picar el cerdo con un cuchillo sus jugos salgan claros.

Retire del horno y deje reposar durante 5 minutos. Corte en rebanadas de 1 cm (½ in) de grueso. Divida el cerdo y las peras entre 4 platos de servicio, rocíe con el glaseado de la sartén y sirva.

lomo horneado con papardelle

··

lomo de cerdo 1 (de aproximadamente 450 g / lb), sin exceso de grasa

sal y pimienta molida

aceite de oliva 1 cucharada

hongos shiitake 450 g (1 lb), sin tallos y rebanados

ajo 4 dientes, finamente rebanados

hojas pequeñas de salvia fresca ¼ taza

caldo de pollo ½ taza

crema espesa ¼ taza

pasta papardelle 450 g (1 lb), cocida al dente

queso parmesano ½ taza, rallado

rinde 4 porciones

Precaliente el horno a 200°C (400°F). Sazone el cerdo con sal y pimienta. En una sartén resistente al horno sobre fuego medio-alto caliente el aceite de oliva. Selle el cerdo de 6 a 8 minutos en total, volteando ocasionalmente, hasta dorar. Pase a un plato. Agregue los hongos a la sartén y saltee alrededor de 3 minutos, hasta dorar. Añada el ajo, cocine durante un minuto, agregue la salvia, caldo y crema y lleve a ebullición. Regrese el cerdo a la sartén y meta al horno. Hornee de 15 a 20 minutos, volteando una sola vez y bañando de vez en cuando con los jugos que suelte, hasta que al picar con un cuchillo los jugos salgan claros. Mientras se hornea el cerdo, prepare la pasta.

Deje reposar el cerdo durante 5 minutos y corte en rebanadas muy delgadas. Revuelva la pasta con la mezcla de hongos en la sartén y pase a un platón. Acomode el cerdo sobre la pasta, espolvoree con el parmesano, sal y pimienta. Sirva.

involtini de cerdo con espinaca

··

lomo de cerdo 1 (de aproximadamente 450 g/1 lb), sin exceso de grasa

sal y pimienta molida

prosciutto 6 rebanadas

queso Fontina ½ taza, toscamente rallado

salvia fresca 8 hojas

aceite de oliva extra virgen 2 cucharadas

ajo 4 dientes, finamente rebanados

hojas de espinaca miniatura 450 g (1 lb)

limón amarillo 1, en gajos (opcional)

rinde 4 porciones

Precaliente el horno a 200°C (400°F). Extienda el lomo y sazone generosamente con sal y pimienta. Acomode las rebanadas de prosciutto sobre el cerdo, agregue el queso y las hojas de salvia. Comenzando por un extremo, enrolle a lo largo y apriete, asegure la carne con palillos de madera en intervalos de 2 ½ cm (1 in).

En una sartén resistente al horno sobre fuego medio-alto caliente una cucharada de aceite de oliva. Selle el cerdo de 6 a 8 minutos en total, volteando ocasionalmente, hasta que se dore. Esparza la mitad del ajo sobre el cerdo, coloque en el horno y ase de 10 a 15 minutos hasta que sus jugos salgan claros al picarlo. Retire del horno y deje reposar durante 5 mins.

En una sartén sobre fuego medio caliente una cucharada de aceite, agregue el ajo restante y saltee durante un minuto. Añada la espinaca, sazone, tape y cocine durante 2 minutos. Rebane el cerdo y sirva sobre la espinaca y los gajos de limón (si lo usa).

hamburguesas con tres cubiertas diferentes

hamburguesas clásicas

espaldilla de res molida 340 g (¾ lb)

solomillo de res molido 340 g (¾ lb)

sal de mar y pimienta molida

ingredientes de su elección (abajo derecha)

rinde 4 porciones

Mezcle ligeramente con sus manos las carnes molidas con una cucharadita de sal y 1/2 cucharadita de pimienta hasta integrar. No mezcle demasiado. Divida la carne en 4 porciones iguales y forme hamburguesas de 6 mm (¼ in) de grueso.

Precaliente un asador a fuego medio y engrase la rejilla con aceite. Ase las hamburguesas, volteando una sola vez, alrededor de 6 minutos para término medio-rojo o 10 minutos para término medio.

mayonesa a las hierbas y jitomate

mayonesa ½ taza

jugo de limón amarillo fresco ½ cucharadita

tomillo fresco ¼ cucharadita, finamente picado

cebollín fresco ¼ cucharadita, cortado finamente con tijera

albahaca fresca ¼ cucharadita, finamente picada

sal de mar y pimienta molida

bollos brioche 4, partidos a la mitad

jitomates bola 2, en rebanadas de 6 mm (¼ in) de ancho

aguacates 2, rebanados

hojas de lechuga Boston 4

rebanadas de cebolla morada 4 delgadas (opcional)

rinde 4 porciones

En un tazón pequeño mezcle la mayonesa con el jugo de limón, tomillo, cebollín y albahaca. Sazone al gusto con sal y pimienta.

Prepare y cocine las hamburguesas como se indica (izquierda). Pase las hamburguesas a la sección más fría de la parrilla mientras asa los bollos con la cara cortada hacia abajo cerca de un minuto, hasta tostar.

Esparza la mayonesa a las hierbas sobre las caras cortadas de los bollos. Coloque las hamburguesas en la base inferior del bollo y cubra con el jitomate, aguacate, lechuga y cebolla morada (si lo desea).

cebollas a la parrilla y queso gorgonzola

trozo de pan focaccia un cuadrado de aproximadamente 15 cm (6 in)

cebollas Maui 2, en rebanadas de 1 cm (½ in) de ancho

aceite de oliva ¼ taza

sal de mar y pimienta molida

queso Gorgonzola 230 g (½ lb)

rinde 4 porciones

Corte el trozo de focaccia en cuadrados de 7 ½ cm (3 in) y corte los cuadrados horizontalmente la mitad. Reserve.

Prepare y cocine las hamburguesas como se indica (arriba).

Barnice las rebanadas de cebolla por ambos lados con aceite de oliva y sazone generosamente con sal y pimienta. Cerca de las hamburguesas, pero en una sección más caliente de la parrilla, ase las cebollas de 2 a 4 minutos por lado, volteando solamente una vez, hasta que se les marque la parrilla. Desmorone el queso y coloque sobre las hamburguesas durante los últimos 1 ó 2 minutos de cocción. Sirva las hamburguesas en la focaccia y cubra con las cebollas.

salsa barbecue al chipotle y tocino

Salsa Barbecue al Chipotle (página 248) ½ taza, o salsa barbecue comprada

queso cheddar tipo Vermont 4 rebanadas

bollos Kaiser 4, partidos a la mitad

tocino 8 rebanadas, cocido

rinde 4 porciones

Prepare y cocine las hamburguesas como se indica (arrriba a la izquierda). Coloque las rebanadas de queso cheddar sobre las hamburguesas durante los últimos 1 ó 2 minutos de cocción.

Mientras se cocinan las hamburguesas, caliente la salsa barbecue en una sartén pequeña sobre fuego medio-bajo.

Unte la salsa sobre la cara cortada de los bollos. Coloque las hamburguesas en las bases inferiores de los bollos y cubra con 2 rebanadas de tocino.

El filete T-bone a la parrilla, tal vez la mayor contribución de la Toscana a la cocina mundial, solamente necesita de pocos ingredientes, por lo que todos ellos deben ser de la mejor calidad. Si usted lo desea, coloque algunas ramas de romero en el carbón para darle un olor ahumado.

filete a la **parrilla**

ACOMPAÑE CON

Mermelada de jitomate Sirva el filete rebanado con una sabrosa mermelada o relish como la Mermelada de Jitomate (página 248). **Mostaza de estragón** Con hierbas frescas y mostaza en frasco puede hacer la salsa perfecta para acompañar cualquier filete (página 248). También puede combinar hierbas frescas (como perejil o hierba luisa) y chalote con mantequilla suavizada.

Frijol blanco y salsa verde Cubra cada filete con una cucharada de Salsa Verde Española (página 249) o un pesto (página 143) y acompañe con una guarnición de Alubias Toscanas Cocidas Lentamente (página 182).

Salsa de cebolla y elote Cubra cada filete con un poco de Salsa de Cebolla Morada y Elote (página 249); nos gusta asar el elote a la parrilla para obtener un sabor ahumado.

Para preparar una marinada, mezcle el ajo con el romero, 2 cucharadas de aceite de oliva y 1 ½ cucharaditas de sal y pimienta hasta integrar por completo. Divida la marinada uniformemente entre 2 bolsas de plástico con cierre y coloque un filete en cada bolsa. Selle las bolsas y frote la marinada sobre la carne. Refrigere por lo menos durante 4 horas o por toda la noche.

Retire los filetes de las bolsas y deseche la marinada. Raspe la marinada de los filetes y deje que alcancen la temperatura ambiente. Precaliente un asador a fuego medio-alto.

Barnice los filetes ligeramente por ambos lados con aceite de oliva y coloque en la parrilla. Ase por ambos lados de 10 a 14 minutos en total, volteando ocasionalmente, hasta que al insertar un termómetro de lectura instantánea en la parte más gruesa de la carne registre entre 58 y 63°C (130 - 140°F) para término medio-rojo.

Pase los filetes a una tabla de picar y deje reposar durante 5 minutos. Parta la carne en rebanadas de 2 ½ cm (1 in) de grueso y acomode en un platón. Acompañe con la guarnición de su elección.

Si utiliza T-bones o filetes New York Strip de 2 ½ cm (1 in) de grueso

Ase como se indica con anterioridad, reduciendo el tiempo de cocción de 4 a 6 minutos en total para término rojo. Pase a un plato y deje reposar durante 3 minutos antes de servir.

ajo 8 dientes, finamente picados

romero fresco 4 ramas, toscamente picadas

aceite de oliva extra virgen 2 cucharadas más el necesario para barnizar

sal de mar y pimienta molida

filetes 2 T-bones, cada uno de 5 cm (2 in) de grueso (aproximadamente 900 g/2 lb en total), o 2 solomillos, cada uno de 5 cm (2 in) de grueso (aproximadamente 680 g/1 ½ lb en total)

VARIACIONES DE CORTE

filetes T-bone 4 (cada uno entre 35 y 40 g/12-14 oz y de 2 ½ cm/1 in de grueso)

filetes New York Strip 4 (cada uno entre 30 y 35g/10-12 oz y de 2 ½ cm/1 in de grueso)

rinde de 4 a 6 porciones

La primera vez que hicimos este pay fue con los sobrantes de costillitas de res (¡una ocurrencia inusual en nuestra casa!) y pronto se convirtió en nuestro favorito. Es ideal para preparar por adelantado: rellene los recipientes para gratinar con las costillitas el día anterior, cubra con puré de papa recién hecho justo antes de hornear.

shepherd's pay de costillitas

ACOMPAÑE CON

Una sencilla ensalada verde es todo lo que necesita servir como acompañamiento para este sabroso y sustancioso platillo. De postre, nos gusta algo ligero como un poco de granita o un sorbete.

DECÓRELO

El shepherd's pay es más especial cuando se hace en platos para gratinar individuales.

Sazone las costillitas con sal y pimienta y refrigere por lo menos 6 horas o durante toda la noche. Deje que alcancen la temperatura ambiente y sazone una vez más con sal y pimienta.

Precaliente el horno a 175°C (350°F). Caliente una sartén grande sobre fuego alto. Agregue el aceite de oliva y caliente hasta que brille. Trabajando en tandas, selle las costillitas por todos lados, volteando cuantas veces sea necesario, hasta dorar. Pase a una olla grande con tapa. Deje 2 cucharadas de grasa en la sartén y deseche el resto. Vuelva a colocar sobre fuego medio. Agregue la cebolla, apio, ajo y zanahoria y saltee alrededor de 5 minutos, hasta que se comiencen a caramelizar. Añada el vino, hojas de laurel y tomillo; suba el fuego a medio-alto y deje hervir para reducir el vino a la mitad. Integre el caldo, lleve a ebullición y vierta el contenido de la sartén sobre las costillitas. Deben quedar apenas cubiertas con el líquido; agregue más caldo si fuera necesario.

Tape bien y cocine en el horno alrededor de 2 ½ horas, agregando el caldo necesario para mantener el nivel de líquido, hasta que un tenedor se deslice fácilmente a través de la carne. Retire el exceso de grasa que se haya formado en la superficie, deje enfriar las costillitas dentro del líquido hasta que puedan tocarse. Retire las costillitas de la olla y separe la carne del hueso. Parta la carne en trozos del tamaño de un bocado, regrese a la olla y deseche de los huesos.

Mientras se enfrían las costillitas, cocine en una olla las papas en agua con sal alrededor de 15 minutos, hasta suavizar. Escurra, seque en la olla sobre fuego bajo, pase por un pasapurés y regrese a la olla caliente. En una olla pequeña caliente la leche y la mantequilla hasta que comience a vaporizar. Vierta sobre las papas, agregue la yema de huevo y mezcle, usando movimiento envolvente, hasta integrar por completo.

Suba la temperatura del horno a 200°C (400°F). Pase el contenido de la olla grande a un refractario de 22 x 33 cm (9 x 13 in) o divida entre platos para gratinar individuales. Extienda uniformemente el puré sobre las costillitas. Hornee de 35 a 40 minutos hasta que el puré se dore. Sirva de inmediato.

costillitas de res 4, (cada una de aproximadamente 1 kg/2 ¼ lb)

sal de mar y pimienta molida

aceite de oliva extra virgen 2 cucharadas

cebolla 1 grande, picada

apio 2 tallos, picados

ajo 6 dientes, machacados

zanahoria 1, picada

vino tinto seco tipo Syrah 3½ tazas

hojas de laurel 3

hojas de tomillo fresco 1 cucharada

caldo de res 4 tazas o el necesario

papas amarillas Yukon 680 g (1 ½ lb), sin piel y partidas en cuartos

leche ¼ taza

mantequilla sin sal 4 cucharadas

yema de huevo 1, batida

rinde de 6 a 8 porciones

tres modos de preparar estofado

estofado clásico

espaldilla de res 1 3/4 kg
(4 lb), bridada

sal y pimienta molida

harina ¼ taza

aceite de oliva 6 cucharadas

cebolla 1, ccortada en 8
trozos

ajo 6 dientes, machacados

caldo de res 5 tazas

hojas de laurel 2

tomillo, romero y perejil
liso 2 ramas de cada uno

champiñones 450 g (1 lb),
partidos a la mitad

zanahorias 450 g (1 lb),
cortadas en piezas de 2 ½
cm (1 in)

papas cambray 680 g (1 ½
lb), partidas a la mitad

fécula de maíz 1½
cucharadita

rinde 8 porciones

Precaliente el horno a 150°C (300°F).
Coloque la carne en un tazón grande, sazone
generosamente con sal y pimienta y espolvoree
con la harina. Caliente una olla de hierro fundido
grande con tapa sobre fuego medio, agregue 2
cucharadas de aceite de oliva y caliente hasta
que brille. Añada la carne y selle por todos
lados. Pase a un plato. Agregue la cebolla y el
ajo a la olla y saltee alrededor de 5 minutos,
moviendo ocasionalmente, hasta suavizar. Integre
el caldo, hojas de laurel y ramas de hierbas,
lleve a ebullición. Regrese la espaldilla a la olla,
tape y meta al horno. Hornee durante 2 ½ horas,
volteando la carne después de 1 ¼ hora.

Mientras tanto, en una sartén sobre fuego medio-
alto caliente 4 cucharadas de aceite de oliva
hasta que sisee. Agregue los champiñones,
sazone generosamente con sal y pimienta y
saltee alrededor de 5 minutos, hasta dorar.
Reserve.

Después de que el estofado se haya horneado
durante 2 ½ horas, pase con cuidado a un plato.
Deje el horno prendido. Utilizando un colador
de malla fina cubierto con un trozo de manta de
cielo, cuele el líquido hacia un tazón. Deseche
los sólidos y, utilizando una cuchara, retire el
exceso de grasa que se forme en la superficie
del líquido. Regrese la carne a la olla y agregue
los champiñones, zanahorias, papas salteadas y
líquido colado. Mezcle la fécula de maíz con 2
cucharadas de agua y ponga en la olla. Coloque
sobre la estufa a fuego alto, lleve a ebullición
y regrese al horno para que siga cocinándose
alrededor de 30 minutos más, hasta que las
verduras se suavicen.

Pase la carne a una tabla de picar y retire los
hilos del bridado. Corte en rebanadas gruesas y
acomode en un platón con las verduras asadas.
Usando una cuchara vierta el líquido sobre la
carne y sirva de inmediato.

estofado japonés

jengibre fresco 4
rebanadas

mirin 1 taza

salsa de soya baja en
sodio 1 taza

anís estrella 2

hongos shiitake
450 g (1 lb), sin tallo y
partidos a la mitad

daikon 450 g (1 lb), sin
piel y cortado en trozos
de 2 ½ cm (1 in)

cebollitas de cambray
1 taza, finamente
rebanadas

cilantro ½ taza, picado

mostaza inglesa fuerte
(opcional)

rinde 8 porciones

Prepare el estofado como se indica *(arriba)*,
agregando el jengibre con la cebolla y ajo.
Sustituya las 2 tazas de caldo de res por el
mirin y la salsa de soya. Sustituya las ramas
de tomillo, perejil, romero y laurel por el anís
estrella. Sustituya los champiñones por
hongos shiitake y sustituya las zanahorias por
el daikon. Para servir, decore con las
cebollitas y el cilantro. Acompañe con
mostaza inglesa fuerte (si la usa).

estofado de chile chipotle

tomatillos o tomates
verdes 6, sin cáscara

chiles chipotles en
adobo 4, picados

elote cacahuazintle
enlatado 6 tazas,
escurrido

crema ácida 1 taza

cebollitas de cambray
1 taza, finamente
rebanadas

aguacates 2, picados
en cubos

cilantro 2 cucharadas,
troceado

rinde 8 porciones

Prepare el estofado como se indica *(arriba)*
hasta donde se añade la cebolla y el ajo.
Omita las hierbas, champiñones,
zanahorias, papas y fécula de maíz.
Agregue el caldo, hojas de laurel,
tomatillos y chile chipotle a la cebolla y ajo
y lleve a ebullición. Regrese el estofado a
la olla, tape y coloque en el horno. Hornee
durante 2 ½ horas, volteando la carne
después de 1 ¼ hora. Durante los últimos
30 minutos de horneado, agregue el elote
blanco. Acompañe con crema, cebollitas,
aguacate y cilantro como guarnición para
que sus invitados se sirvan a su gusto.

Aunque los chinos son los mayores conocedores del pato, esta clásica combinación de pato e higos es más de estilo francés. El vinagre por lo general combina bien con las frutas y en esta receta puede sencillamente sustituir los higos por ciruelas o duraznos si los higos no le encantan o no están en temporada.

pechugas de pato con higos asados y glaseado balsámico

DECÓRELO

Gracias a los higos robustos, este platillo impresiona. Rebane el pato y acomódelo sobre un platón; cubra con los higos y el glaseado de balsámico. O, si lo desea, divida entre platos individuales: coloque 2 ó 3 rebanadas de pato en cada plato, cubra con un higo y rocíe con el glaseado.

ACOMPÁÑELO CON

Sirva este plato con un vino tinto afrutado y robusto, tal vez con un Petite Syrah de California o un Primitivo italiano.

Precaliente el horno a 200°C (400°F). Utilizando un cuchillo filoso retire la grasa que se vea en cada pechuga de pato para crear una capa uniforme de 6 mm (¼ in). Marque la piel de cada pechuga cortando a través de la piel con ayuda de un cuchillo pero sin cortar la carne y creando un diseño a cuadros de 6 mm (¼ in). Sazone generosamente con sal y pimienta por ambos lados. Reserve.

Con un cuchillo mondador corte una pequeña cruz en las puntas de los higos. Abra los higos, sazone con sal y pimienta y coloque en una charola para hornear con bordes. Vierta el vinagre sobre los higos y esparza las ramas de tomillo sobre ellos. Hornee de 12 a 15 minutos, remojando los higos con el vinagre cada 4 ó 5 minutos, hasta que se encuentren bien glaseados. Mantenga los higos calientes dentro del horno.

Caliente una sartén grande sobre fuego medio-alto. Cuando la sartén esté caliente agregue las pechugas de pato, poniéndolas con la piel hacia abajo y selle de 6 a 7 minutos, hasta que la piel esté dorada y crujiente. Voltee y cocine de 3 a 4 minutos más para término medio-rojo, hasta dorar ligeramente. Pase a un plato y deje reposar durante 3 ó 4 minutos.

Rebane las pechugas diagonalmente. Acomode las rebanadas en un platón de servicio con los higos, rocíe con el glaseado de balsámico que quedó en la charola y sirva de inmediato.

pechugas de pato sin hueso con piel 6, aproximadamente 1 kg (2 ¼ lb) en total

sal de mar y pimienta molida

higos negros Mission 8 maduros

vinagre balsámico añejo ½ taza

tomillo fresco 8 ramas

rinde de 4 a 6 porciones

Nos encanta el cordero de verano. Por supuesto que el cordero tradicionalmente se asocia con la primavera, pero después de pastar algunos meses de más, los corderos aportan carne con mayor sabor que hace un buen maridaje con sabores más atrevidos como el ajo, queso feta y romero.

chuletas de cordero al horno con ajo y romero

costillar de cordero 2, cada uno con 7 u 8 costillas y entre 680 y 900 g (1 ½-2 lb), pida al carnicero que recorte la carne que se encuentra en el hueso para que éste quede expuesto

ajo 4 dientes, finamente rebanados

romero fresco 4 ramas, toscamente picadas

aceite de oliva extra virgen 2½ cucharadas

sal de mar y pimienta molida

rinde 4 porciones

Coloque los costillares en un tazón grande. Agregue el ajo, romero y 2 cucharadas de aceite de oliva. Voltee los costillares para cubrir completamente con los ingredientes. Pase los costillares y el líquido a bolsas de plástico grandes con cierre y refrigere por lo menos 6 horas o durante toda la noche.

Precaliente el horno a 220°C (425°F). Raspe para retirar la mayor parte de la marinada del cordero y reserve la marinada. Sazone el cordero con sal y pimienta y deje que alcance la temperatura ambiente. Caliente una sartén grande sobre fuego alto, agregue la 1 1/2 cucharadita restante de aceite de oliva y caliente hasta que brille. Coloque los costillares en la sartén y selle por todos lados hasta dorar.

Pase los costillares a una charola para hornear con bordes y esparza la marinada reservada sobre ellos. Hornee alrededor de 15 minutos, hasta que un termómetro de lectura instantánea insertado en la parte más gruesa de la carne, lejos del hueso, registre entre 55 y 60°C (130-140°F) para término medio-rojo.

Retire el cordero del horno y deje reposar de 5 a 10 minutos. Para servir corte el cordero en chuletas individuales.

ACOMPAÑE CON

Vegetales de verano Mientras se hornea el cordero puede hacer una variedad de verduras asadas (página 53). O rocíe las verduras con aceite de oliva, espolvoree con sal de mar y pimienta y hornee con el cordero. Los jitomates también son una buena opción para hornear; agregue con algunos dientes de ajo con piel a la misma charola para hornear.

Ensalada griega El cordero es la carne más popular en Grecia, por lo que no es ninguna sorpresa que una guarnición como la Ensalada Griega (página 249) sea ideal para acompañar este platillo.

Gremolata Nos encantan los sabores a hierba fresca y cítricos que contiene la Gremolata (página 248), es ideal con varios platillos de carne y pescado y en especial con este platillo. Tradicionalmente se sirve con osso buco (rodilla de ternera estofada).

guarniciones

Cuando cocinamos, nos enfocamos en la sencillez y tratamos de no ser demasiado exigentes. Algunas veces sólo añadimos un poco de aceite de oliva y sal o un chorrito de jugo de limón. Le recomendamos que cocine cosas frescas y sencillas.

La calabaza butternut tiene un sabor dulce y anuezado, muy similar al del camote. Con un alto contenido de vitaminas A y C, es una excelente fuente de nutrientes. Este platillo es uno de los favoritos de Alison y resulta muy bueno recalentado al día siguiente.

ensalada tibia de calabaza con menta

ACOMPAÑE CON

Esta ensalada resulta una guarnición maravillosa para carnes o aves asadas. Le dará un aire fresco a su próxima cena del día de Acción de Gracias. Un Pinot Noir sería un buen complemento para el suave y rico sabor de la calabaza.

CONVIÉRTALO EN UNA COMIDA COMPLETA

Para que esta ensalada sea más completa, corte las calabazas en cubos en vez de rodajas antes de asar. Corte la cebolla en trozos gruesos en vez de rebanarla. Justo antes de servir mezcle la ensalada con 4 tazas de cuscús o quinua cocida (página 192).

Precaliente el horno a 200°C (400°F). Retire la piel de la calabaza y rebane en rodajas de 2 ½ cm (1 in). Usando una cuchara retire y deseche las semillas.

Engrase ligeramente 2 charolas para hornear con bordes. Acomode las calabazas en una sola capa sobre las charolas y barnice por ambos lados con ¼ taza de aceite de oliva. Espolvoree con sal y pimienta. Ase cerca de 30 minutos, volteando una vez, hasta que estén ligeramente suaves.

Mientras tanto, prepare el aderezo. En un tazón pequeño mezcle ¼ taza de aceite de oliva con el vinagre, cebolla, orégano, ajo y las hojuelas de chile rojo. Sazone al gusto con sal y pimienta.

Pase la calabaza a un platón. Bañe con el aderezo y deje reposar cerca de 20 minutos, hasta que se hayan mezclado los sabores. Adorne con menta y sirva de inmediato.

calabazas butternut 2 pequeñas, de 1 kg (2 ½ lb) cada una

aceite de oliva extra virgen ½ taza

sal de mar y pimienta molida

vinagre de vino tinto ¼ taza

cebolla morada 1 pequeña, finamente rebanada

orégano fresco 1 cucharadita, finamente picado

ajo 1 diente, finamente rebanado

hojuelas de chile rojo ½ cucharadita

hojas de menta fresca ¼ taza

rinde 8 porciones

cuatro modos de preparar hortalizas verdes

bok choy frito al instante

....

aceite de ajonjolí 1 cucharada

bok choy miniatura 10 cabezas, cortadas longitudinalmente a la mitad

caldo de pollo 1 taza

ajo 2 dientes, finamente rebanados

salsa de soya reducida en sodio 1 cucharada

hojuelas de chile rojo ½ cucharadita

rinde de 6 a 8 personas

Caliente un wok o una sartén a fuego alto. Agregue el aceite de ajonjolí y caliente hasta que empiece a brillar. Añada el bok choy y cocine cerca de 2 minutos, mezclando y volteando constantemente hasta que empiecen a marchitarse la orillas. Añada el caldo de pollo, ajo y salsa de soya. Deje hervir lentamente cerca de 2 ó 3 minutos, hasta que las hortalizas se sientan ligeramente suaves al picarlas con la punta de un cuchillo. Integre las hojuelas de chile rojo. Pase a un platón y sirva de inmediato.

col rizada toscana con anchoas

....

col rizada toscana 4 manojos, aproximadamente 1 kg (2 lb) en total

aceite de oliva extra virgen 2 cucharadas

ajo 2 dientes, finamente picados

filetes de anchoa empacados en aceite de oliva 8, escurridos y picados

sal de mar

hojuelas de chile rojo ½ cucharadita

jugo de limón amarillo fresco 1 cucharada

ralladura de limón amarillo 2 cucharaditas

rinde 8 porciones

Recorte las puntas duras de la col rizada. Pique en trozos del tamaño de un bocado.

En una sartén grande a fuego medio-alto caliente el aceite de oliva hasta que se vea brillante. Añada el ajo y las anchoas y cocine alrededor de un minuto, mezclando hasta que el ajo se dore. Añada la col rizada, ½ cucharadita de sal y un taza de agua. Cocine cerca de 10 minutos, mezclando de vez en cuando, hasta que la col rizada se sienta suave al morderla. Añada las hojuelas de chile rojo y el jugo y ralladura de limón. Pase a un platón y sirva de inmediato.

brócoli rabe con cebolla en escabeche

....

cebolla morada 1 pequeña, finamente rebanada

vinagre de Champaña ¼ taza

azúcar 1 cucharadita

brócoli rabe 2 manojos, aproximadamente 2 kg (4 lb) en total

aceite de oliva extra virgen 2 cucharadas

sal de mar y pimienta molida

rinde 8 porciones

Coloque la cebolla en un tazón refractario pequeño. En una olla pequeña sobre fuego medio mezcle el vinagre con el azúcar y lleve a ebullición. Retire la mezcla de vinagre del fuego, vierta sobre la cebolla y marine cerca de 15 minutos (la cebolla se marchitará). Escurra la cebolla en un colador de malla fina y enjuague brevemente bajo el chorro de agua fría. Reserve.

Recorte las bases duras del brócoli rabe. Corte en trozos de 7 ½ cm (3 in).

En una sartén grande sobre fuego medio-alto caliente el aceite de oliva. Agregue el brócoli rabe y una cucharadita de sal. Cocine cerca de 5 minutos, mezclando de vez en cuando, hasta que se sienta suave al morderlo. Añada la cebolla, sazone al gusto con pimienta y mezcle para integrar. Pase a un platón de servicio y sirva de inmediato.

espinaca con ajonjolí al jengibre

....

jengibre fresco 1 trozo de 2 ½ cm (1 in), finamente rallado

jugo de limón amarillo fresco de 1 limón

aceite de ajonjolí tostado 1 cucharada

ajo ½ cucharadita, rallado

espinaca 1 manojo, alrededor de 450 g (1 lb), con los tallos intactos

sal de mar y pimienta molida

rinde de 4 a 6 porciones

En un tazón pequeño prepare el aderezo batiendo el jengibre con el jugo de limón, aceite de ajonjolí y el ajo.

Enjuague muy bien el manojo de espinaca en un tazón grande con agua para retirar cualquier residuo de arena o tierra. En una olla grande con agua hirviendo blanquee el manojo entero de espinaca cerca de 30 segundos, hasta que se marchite. Retire la espinaca con la ayuda de un colador de metal y seque con toallas de papel. Pase a un platón y sazone al gusto con sal y pimienta. Vierta el aderezo sobre la espinaca y sirva de inmediato.

En el año de 1604 se rumoraba que Caravaggio le había arrojado un plato de alcachofas fritas en la cara al mesero por no saber si las habían preparado con aceite o con mantequilla. Afortunadamente, nada de eso sucede en nuestra casa. Nos encantan las alcachofas cualquiera que sea su modo de preparación.

alcachofas fritas con alioli

yemas de huevo 3, a temperatura ambiente

ajo 2 dientes, picados

sal de mar

aceite de oliva extra virgen 1 taza

jugo de limón amarillo fresco 2 cucharadas

limones amarillos 4

alcachofas 4

aceite de semilla de uva para fritura profunda

harina 1 taza

rinde 4 porciones

Para preparar el alioli mezcle las yemas de huevo, ajo y una cucharadita de sal en un procesador de alimentos. Procese durante 30 segundos, hasta integrar los ingredientes. Con el motor encendido vierta el aceite de oliva muy lentamente en hilo continuo, hasta formar una emulsión espesa, vertiendo más rápido en cuanto espese la mezcla. Añada el jugo de limón, procese hasta integrar por completo y pase el alioli a un tazón pequeño. Reserve.

Llene un tazón con agua fría. Parta 2 limones a la mitad y exprima el jugo en el agua. Trabajando con una alcachofa a la vez, retire las hojas duras del exterior hasta llegar a las de color verde pálido del interior, corte las puntas espinosas. Deje los tallos intactos pero recorte la base y pele los tallos con un pelador de verduras, empezando en donde retiró las hojas para descubrir la pulpa suave. Corte cada alcachofa longitudinalmente a la mitad y después corte cada mitad una vez más a la mitad longitudinalmente. Usando un cuchillo mondador retire las fibras velludas del centro de cada cuarto de alcachofa. En cuanto esté limpia cada alcachofa, sumerja en el agua con limón.

Vierta el aceite de semilla de uva en una sartén grande hasta obtener una profundidad de 8 ó 10 cm (3-4 in) y caliente hasta que registre una temperatura de 165°C (325°F) en un termómetro para fritura profunda. Mientras se calienta el aceite, coloque la harina en un tazón grande. Retire las alcachofas del agua y seque cuidadosamente con toallas de papel. Agregue las alcachofas al tazón de harina y mezcle para enharinar ligeramente, sacudiendo el exceso. Cuando el aceite esté listo, cuidadosamente añada las alcachofas a la sartén, trabajando en tandas. Fría de 3 a 4 minutos, hasta que estén doradas y crujientes. Usando una cuchara ranurada, pase a toallas de papel para escurrir y sazone con sal. Permita que el aceite vuelva a subir a 165°C (325°F) entre cada tanda. Sirva de inmediato acompañando con el alioli y los limones restantes cortados en rebanadas.

VARIACIÓN

Puede variar el alioli al gusto. Mezcle con hierbas frescas picadas como el eneldo, perejil, alcaparras picadas o hasta una pizca de pimienta de cayena para añadir un toque de sabor a especia.

ACOMPAÑE CON

En Roma las alcachofas son una entrada clásica, pero a nosotros nos gusta servir esta guarnición como acompañamiento de pescado o pasta. Las alcachofas son famosas por no maridar bien con ningún vino. Sin embargo, hemos encontrado que un rosado ligero o un Grüner Veltliner austriaco combina bastante bien.

cuatro modos de preparar gratín

gratín de poros

poros 8 pequeños, sólo las partes blancas y verde pálido

queso ricotta 1 taza

queso Gruyère 1 taza, rallado

mostaza de grano 1 cucharada

sal de mar y pimienta molida

panko 1 taza

perejil liso fresco ½ cucharadita, picado

tomillo fresco ½ cucharadita, picado

rinde 4 porciones

Precaliente el horno a 190°C (375°F). Engrase con mantequilla 4 platones para gratinar individuales de 10 x 15 cm (4 x 6 in).

Ponga a hervir agua con sal en una olla grande. Agregue los poros, reduzca el fuego y escalfe cerca de 8 minutos, hasta que se sientan suaves al picarlos con la punta de un cuchillo. Escurra los poros, deje enfriar hasta poder tocarlos y corte en trozos de 4 cm (1 ½ in). Reserve.

En un tazón mezcle el queso ricotta con el queso Gruyère y la mostaza. Divida los poros entre los platones para gratinar preparados y añada una pizca de sal y pimienta. Cubra con la mezcla de quesos y espolvoree con el *panko*, perejil y tomillo. Hornee de 15 a 20 minutos, hasta dorar, y sirva.

gratín de acelgas arco iris

acelgas arco iris 1 ½ kg (3 lb) 2 manojos

aceite de oliva extra virgen 1 cucharada

cebolla 1, finamente rebanada

ajo 1 diente, finamente picado

hojas de tomillo fresco 1½ cucharadita

sal de mar y pimienta molida

queso ricotta 2 tazas

queso Gruyère 1 taza, rallado

mostaza dijon 1 cucharada

migas de pan fresco 1 taza

rinde de 4 a 6 porciones

Precaliente el horno a 190°C (375°F). Engrase con mantequilla un platón ovalado para gratinar de 30 cm (12 in). Corte las hojas de los tallos de las acelgas. Manteniendo las hojas y los tallos separados, corte ambos en trozos de 2 ½ cm (1 in). Caliente el aceite en una sartén grande sobre fuego medio hasta que brille. Añada los tallos y saltee durante 2 minutos. Agregue la cebolla, ajo y tomillo y cocine cerca de 6 minutos, hasta que la cebolla esté suave. Añada las hojas y cocine cerca de 4 minutos, mezclando, hasta que se marchiten. Sazone con sal y pimienta. Pase las hortalizas a un colador y escurra perfectamente, presionando con el revés de una cuchara para retirar el exceso de líquido.

En un tazón mezcle los quesos con la mostaza. Agregue las acelgas y mezcle hasta integrar por completo. Extienda la mezcla de acelgas sobre el platón preparado y espolvoree con las migas de pan. Hornee cerca de 20 minutos, hasta que la cubierta se dore, y sirva.

gratín de coliflor

mantequilla sin sal 3 cucharadas

harina 4½ cucharadas

media crema 1 taza

rábano picante preparado 3 cucharadas

vinagre de vino blanco, ½ cucharadita

nuez moscada recién molida, sal de mar y pimienta molida

flores de coliflor 4 tazas, cocidas al vapor

queso Fontina 1 taza, rallado

mostaza dijon 1½ cucharadita

panko 1 taza

rinde 4 porciones

Precaliente el horno a 190°C (375°F). Engrase con mantequilla 4 platones para gratinar individuales de 10 x 15 cm (4 x 6 in).

En una sartén grande y gruesa sobre fuego medio derrita 1 ½ cucharadita de mantequilla. Agregue la harina y cocine durante 2 minutos, mezclando. No la deje dorar. Sin dejar de batir con un batidor globo, añada poco a poco la media crema y mezcle durante 4 minutos, hasta que la salsa hierva y espese. Agregue 2 cucharadas de rábano picante y el vinagre. Sazone al gusto con nuez moscada, sal y pimienta. Añada la coliflor y mezcle para cubrir. Divida uniformemente entre los platones preparados y espolvoree con los quesos.

En una sartén gruesa sobre fuego medio derrita 1 ½ cucharada de mantequilla. Agregue la mostaza y la cucharada restante de rábano picante. Añada el *panko* y cocine cerca de 9 minutos, mezclando, hasta que se dore. Esparza sobre los gratines. Hornee cerca de 15 minutos, hasta que estén bien calientes, y sirva.

gratín de achicoria y radicchio

achicoria 4 cabezas, cortada longitudinalmente a la mitad

radicchio de Treviso 2 cabezas, cortado longitudinalmente en cuartos

crema espesa 1 taza

queso de cabra fresco 125 g (¼ lb)

sal de mar y pimienta molida

queso pecorino ½ taza, recién rallado

panko 1 taza

rinde 4 porciones

Precaliente el horno a 190°C (375°F). Engrase con mantequilla 4 platones para gratinar individuales de 10 x 15 cm (4 x 6 in).

Ponga a hervir agua en una olla grande. Agregue la achicoria y blanquee durante 3 minutos. Después de un minuto, añada el radicchio y blanquee 2 minutos más. Retire la achicoria y el radicchio con ayuda de unas pinzas, escurra y divida entre los platos preparados. Vierta la crema sobre las verduras y espolvoree con el queso de cabra. Sazone con sal y pimienta. Espolvoree con el queso pecorino y el *panko*. Hornee cerca de 15 minutos, hasta que la cubierta se dore, y sirva.

ensalada de jitomates y alubias

....

Jitomates Horneados Lentamente (*extrema derecha*) preparados con jitomates surtidos

Alubias Toscanas Cocidas Lentamente (página 182)

hojas de orégano fresco ¼ taza

aceite de oliva extra virgen ¼ taza

vinagre de Champaña ¼ taza

sal de mar y pimienta molida

rinde de 4 a 6 porciones

Ponga los jitomates en un tazón. Agregue las alubias cocidas, el orégano, el aceite de oliva y el vinagre y mezcle hasta integrar. Sazone al gusto con sal y pimienta. Sirva en tazones individuales o pase a un platón.

ensalada de jitomate, melón y pepitas

....

aceite de oliva extra virgen ¼ taza

vinagre de Champaña 2 cucharadas

tomates verdes zebra y/o jitomates heirloom rojos de 6 a 8, cortados en 8 rebanadas cada uno

melón cantaloupe ½, sin piel, cortado en rebanadas de 2 cm (3/4 in) y luego toscamente picadas

pepitas de calabaza, ¼ taza, tostadas

albahaca fresca 10 hojas

menta fresca 10 hojas, troceadas

sal de mar y pimienta fresca

rinde de 4 a 6 porciones

En un tazón grande bata, con ayuda de un batidor globo, el aceite de oliva con el vinagre. Agregue los jitomates, el melón, las *pepitas*, la albahaca y la menta. Sazone al gusto con sal y pimienta y mezcle. Pase a un platón y sirva.

pan tostado con panzanella

....

pan artesanal blanco
6 rebanadas de 1 cm (½ in) de grueso

ajo 1 diente, partido a la mitad

jitomates cereza o miniatura 2 tazas, partidos a la mitad

chalote 1, finamente picado

hojas de albahaca fresca ¼ taza, troceadas

hojas de orégano fresco, 1 cucharadita

sal de mar y pimienta molida

rinde de 4 a 6 porciones

Tueste las rebanadas de pan o ponga debajo del asador de su horno. Unte las rebanadas por uno de los lados con ajo.

En un tazón mezcle los jitomates con el chalote. Cubra las rebanadas de pan tostado con los jitomates por el lado untado con ajo y espolvoree con albahaca y orégano. Sazone al gusto con sal y pimienta y sirva.

jitomates horneados lentamente

....

jitomates de 8 a 10 guaje o 2 tazas de jitomates cereza, partidos longitudinalmente a la mitad

aceite de oliva extra virgen
aproximadamente ¼ taza

azúcar aproximadamente 1 cucharadita

ajo 2 dientes, finamente rebanados

sal de mar y pimienta molida

rinde de 4 a 6 porciones

Precaliente el horno a 150°C (300°F). Engrase ligeramente con aceite una charola para hornear con bordes. Acomode los jitomates, con el lado cortado hacia arriba, sobre la charola para hornear. Rocíe con aceite de oliva y espolvoree uniformemente con el azúcar, ajo y bastante sal y pimienta. Ase de 2 a 2 ½ horas para jitomates guaje medianos y una hora para jitomates cereza, hasta que hayan tomado un color rojo intenso y se hayan arrugado.

Retire del horno y deje enfriar sobre la charola para hornear. Sirva tibios o a temperatura ambiente.

Hasta el siglo XVI los italianos fueron los únicos europeos que apreciaban la coliflor. Esta receta especial de Jamie, afirma la herencia italiana de esta verdura que, junto con la receta de brócoli, combina perfectamente con la mayoría de las carnes.

coliflor asada con piñones y uvas pasas

coliflor 2 cabezas (aproximadamente 1 ½ kg/3 lb en total)

aceite de oliva extra virgen 4 cucharadas

sal de mar y pimienta molida

vinagre de vino tinto 2 cucharadas

jugo de limón fresco 2 cucharadas

uvas pasas doradas (sultanas) 3 cucharadas, remojadas en agua hirviendo durante 30 minutos y escurridas

perejil liso fresco 2 cucharadas, toscamente picado

ralladura de limón amarillo 1 cucharadita

piñones 3 cucharadas, tostados

rinde 8 porciones

Precaliente el horno a 215°C (425°F). Retire el centro de la coliflor y corte en flores. Coloque sobre una charola para hornear con bordes, rocíe con 2 cucharadas de aceite de oliva y sazone con sal y pimienta. Ase de 25 a 30 minutos, volteando una sola vez, hasta que esté ligeramente suave.

Mientras tanto, prepare una vinagreta. En un tazón pequeño mezcle 2 cucharadas de aceite de oliva, el vinagre y el jugo de limón con ayuda de un batidor globo. Sazone al gusto con sal y pimienta y añada las uvas pasas.

Pase la coliflor tibia a un platón de servicio y rocíe con la vinagreta. Espolvoree con el perejil, la ralladura de limón y los piñones. Para que se impregnen los sabores, deje enfriar a temperatura ambiente antes de servir.

CÁMBIELA

Puede sustituir las pasitas por alcaparras o por aceitunas deshuesadas y picadas. Si le gusta la comida picante, puede añadir unas hojuelas de chile rojo.

brócoli asado con ralladura de naranja y almendras

brócoli 2 cabezas (1 ½ kg/3 lb en total aproximadamente)

aceite de oliva extra virgen 4 cucharadas

sal de mar y pimienta molida

jugo de naranja fresco 2 cucharadas

ralladura de naranja 2 cucharaditas

almendras ¼ taza, tostadas y toscamente picadas

rinde 8 porciones

Precaliente el horno a 215°C (425°F). Retire el tallo de las cabezas de brócoli y corte en flores. En un tazón grande mezcle las flores de brócoli con 3 cucharadas de aceite de oliva. Pase a una charola para hornear con borde y sazone con sal y pimienta. Ase cerca de 25 minutos, hasta que estén ligeramente suaves.

Pase el brócoli asado a un platón de servicio, rocíe con una cucharada de aceite de oliva y el jugo de naranja, espolvoree con la ralladura de naranja y las almendras y sirva.

ACOMPAÑE CON

A menudo colocamos un platón de verduras asadas en el centro de la mesa para que todos compartan. Otras veces las servimos en platos individuales como guarnición para el plato principal.

cuatro modos de preparar leguminosas

alubias toscanas cocidas lentamente

....

alubias secas tipo northern, navy o canellini 2 tazas, remojadas durante toda la noche en agua, escurridas y enjuagadas

sal de mar y pimienta molida

romero fresco 2 ramas

hojas de laurel 2

ajo 4 dientes, ligeramente machacados

aceite de oliva extra virgen ¼ taza

rinde 6 porciones

En una olla grande y gruesa mezcle las alubias con una cucharada de sal, romero, hojas de laurel, ajo y 8 tazas de agua. Tape y hierva sobre fuego bajo. Deje hervir cerca de 45 minutos, sin tapar, hasta que las alubias estén suaves pero no pastosas. Retire del fuego y deje enfriar durante 15 minutos, tapadas.

Escurra las alubias. Deseche el romero, hojas de laurel y ajo si lo desea. Espolvoree con pimienta, rocíe con aceite de oliva y sirva.

ensalada veraniega de ejotes y elote

....

elote 2 piezas, sin hojas ni cabellos

ejotes amarillos 750 g (¾ lb), sin las puntas

ejotes verdes 750 g (¾ lb), sin las puntas

cebolla morada 1 chica, finamente rebanada

aceite de oliva extra virgen ¼ taza

vinagre de vino blanco 2 cucharadas

estragón fresco 1 cucharadita, finamente picado

perifollo fresco 8 ramas

sal de mar y pimienta molida

rinde 6 porciones

Ponga a hervir una olla con tres cuartas partes de agua salada. Cocine los elotes cerca de 5 minutos, hasta que estén suaves y crujientes. Retire los elotes del agua con ayuda de unas pinzas, reservando el agua. Agregue los ejotes amarillos al agua y hierva durante un minuto; añada los ejotes verdes. Cocine cerca de 2 minutos más, hasta que los ejotes estén suaves y crujientes. Mientras se cuecen los ejotes, prepare un tazón con agua con hielo. Escurra los ejotes y pase de inmediato al agua con hielo para detener la cocción.

Desgrane los elotes dejando caer los granos en un tazón poco profundo. Agregue los ejotes y la cebolla al tazón, rocíe con aceite de oliva y vinagre y mezcle. Espolvoree con el estragón y el perifollo; sazone al gusto con sal y pimienta. Sirva a temperatura ambiente, o tape, refrigere y sirva fría.

ensalada de frijol negro y chile poblano

chiles poblanos 2

aceite de oliva extra virgen ¼ taza

vinagre de vino tinto 2 cucharadas

mostaza dijon 1 cucharada

azúcar 1 cucharadita

comino molido y páprika ½ cucharadita de cada uno

sal de mar y pimienta molida

frijoles negros 2 latas de 425g (15 oz) cada una

cebolla morada ½

jitomates miniatura mixtos 250 g (1 pint), partidos en mitades

queso fresco y cilantro picado para decorar

rinde 6 porciones

Precaliente el horno a 200°C (400°F). Acomode los poblanos sobre una charola para hornear con bordes y ase cerca de 25 minutos, volteándolos de vez en cuando, hasta que estén suaves y ampollados. Retire del horno, pase a un tazón, tape y deje enfriar con su propio vapor.

Mientras tanto, con ayuda de un batidor globo mezcle el aceite de oliva, vinagre, mostaza, azúcar, comino, páprika y sal y pimienta al gusto. Reserve la vinagreta. Enjuague y escurra los frijoles y pique la cebolla en cubos muy pequeños.

Cuando los poblanos se hayan enfriado lo suficiente para poder tocarlos, retire la piel venas y semillas y corte en cuadros de 1 cm (½ in). En un tazón mezcle los chiles, frijoles, cebolla, jitomates y la vinagreta. Mezcle para integrar. Sazone al gusto con sal y pimienta y espolvoree con queso fresco y cilantro. Sirva.

ejotes romanos con almendras

ejotes romanos italianos 450 g (1lb), sin las puntas y cortados diagonalmente en trozos de 5 cm (2 in)

aceite de oliva extra virgen 2 cucharadas

limón amarillo ½

almendras ¼ taza, tostadas y toscamente picadas

sal de mar

rinde 4 porciones

Ponga a hervir una olla grande con tres cuartas partes de agua salada. Agregue los ejotes y hierva cerca de 3 minutos, hasta que estén suaves. Escurra perfectamente y coloque en un tazón.

Rocíe los ejotes con el aceite de oliva. Exprima el jugo del limón sobre los ejotes, agregue las almendras y sal al gusto. Sirva de inmediato.

gnocchi con dos salsas

gnocchi

papas para hornear,
3 grandes
(aproximadamente 700
g/1 ½ lb en total)

harina 2 tazas o la
necesaria

sal de mar

salsa de su elección
(abajo)

**rinde de 8 a 10
porciones**
como guarnición

**rinde de 4 a 6
porciones**
como plato principal

Precaliente el horno a 175°C (350°F). Pique las papas por varios lados. Coloque sobre la rejilla del horno y hornee alrededor de una hora, hasta que el interior se sienta muy suave al picarlas con la punta de un cuchillo. Pase a una charola para hornear con borde y deje enfriar.

Cuando las papas estén lo suficientemente frías para poder tocarlas, corte longitudinalmente. Usando una cuchara grande de metal retire la pulpa y pase por un pasapurés, dejándola caer sobre la charola para hornear. Con ayuda de una espátula extienda la papa y deje enfriar por completo.

En un tazón grande mezcle 1 ½ taza de harina con una cucharadita de sal. Usando sus manos incorpore lentamente la mezcla de harina con las papas hasta formar una masa tosca y desigual. La masa debe estirarse cuando la jale de sus manos y sentirse como masa para pizza. Agregue más harina si fuera necesario para lograr la consistencia deseada pero no sobre mezcle.

Espolvoree ¼ taza de harina sobre una superficie de trabajo limpia. Espolvoree con harina una charola para hornear con bordes limpia. Forme una bola con la masa y divídala en 4 partes iguales. Utilizando ambas manos, forme un rollo de aproximadamente 1 cm (½ in) de diámetro con cada porción. Corte cada rollo en trozos de 2 ½ cm (1 in). Para formar los gnocchi sumerja un tenedor en harina y, con la parte posterior de los dientes, oprima delicadamente cada trozo de masa. Coloque los gnocchi sobre la charola para hornear preparada.

Ponga a hervir a borbotones una olla grande con tres cuartas partes de agua y agregue una cucharada de sal. Deje caer aproximadamente 8 gnocchi a la vez en el agua hirviendo. Cocine cerca de 3 minutos, hasta que los gnocchi suban a la superficie. Retire con ayuda de una cuchara ranurada y pase a un tazón. Tape para mantenerlos calientes. Acompañe con la salsa de su elección.

salsa de hongos silvestres

aceite de oliva extra virgen
2 cucharadas

morillas
1 taza, toscamente picadas

hongos chanterelle 1 taza,
toscamente picados

ajo 2 dientes, finamente
picados

chalote 1, finamente picado

**sal de mar y pimienta
molida**

queso parmesano ¼ taza
recién rallado

perejil liso fresco
¼ taza, picado

**rinde de 8 a 10
porciones**
como guarnición

**rinde de 4 a 6
porciones**
como plato principal

Prepare y cocine los gnocchi como se indica con anterioridad.

En una sartén grande sobre fuego medio-alto caliente el aceite de oliva. Añada las morillas y los chanterelle y saltee durante 2 minutos. Agregue el ajo y el chalote y saltee un minuto más. Ponga los gnocchi cocidos a la sartén y mezcle con cuidado para integrar. Sazone generosamente con sal y pimienta. Pase a un platón de servicio, espolvoree con el parmesano y el perejil y sirva de inmediato.

salsa de achicoria y queso gorgonzola

aceite de oliva extra virgen
2 cucharadas

achicoria, 1 cabeza,
rallada

**sal de mar y pimienta
molida**

queso Gorgonzola
¼ taza, desmoronado

piñones ½ taza, tostados

**rinde de 8 a 10
porciones**
como guarnición

**rinde de 4 a 6
porciones**
como plato principal

Prepare y cocine los gnocchi como se indica con anterioridad.

En una sartén grande sobre fuego alto caliente el aceite de oliva. Añada la achicoria y saltee cerca de 2 minutos, hasta que se marchite. Sazone generosamente con sal y pimienta. Coloque los gnocchi cocidos en un platón, esparza el queso Gorgonzola y la achicoria sobre la superficie. Espolvoree con los piñones y sirva de inmediato.

papas enteras con hierbas de primavera

....

papitas cambray o de monte
450 g (1 lb)

sal de mar y pimienta molida

aceite de oliva extra virgen
1 cucharada

hierbas de primavera mixtas tales como el perifollo, eneldo y estragón
1 cucharada, finamente picadas

rinde 4 porciones

En una olla grande sobre fuego alto mezcle las papas con una cucharadita de sal. Agregue agua hasta cubrir por 5 cm (2 in); lleve a ebullición. Cuando suelte el hervor tape, reduzca el fuego y deje hervir a fuego lento de 12 a 15 minutos, hasta que las papas se sientan suaves al picarlas con la punta de un cuchillo.

Escurra las papas y pase a un tazón. Añada el aceite de oliva, una cucharadita de sal y ½ cucharadita de pimienta; mezcle ligeramente. Espolvoree con las hierbas y sirva de inmediato.

papas fingerling asadas con ajo

....

papas alargadas fingerling o cambray
450 g (1 lb), cortadas longitudinalmente a la mitad

aceite de oliva extra virgen
¼ taza

romero fresco 4 sramas, finamente picado

sal de mar y pimienta fresca

ajo 3 dientes, finamente rebanados

rinde 4 porciones

Precaliente el horno a 190°C (375°F). Ponga las papas en un tazón y añada el aceite de oliva y el romero. Sazone generosamente con sal y pimienta.

Acomode las papas en una sola capa sobre una charola para hornear con bordes. Meta al horno y ase durante 10 minutos, mezcle y ase por 10 minutos más. Esparza el ajo sobre las papas y ase cerca de 10 minutos más, hasta que las papas se doren y se sientan suaves al picarlas con un cuchillo. Pase a un platón, espolvoree con sal y sirva de inmediato.

papas rojas con queso gruyère

....

papas cambray rojas
450 g (1 lb)

aceite de oliva extra virgen
2 cucharadas

sal de mar

queso Gruyère ¼ taza, rallado

rinde 4 porciones

Precaliente el horno a 190°C (375°F). Pique cada papa con un tenedor en 2 ó 3 sitios. Coloque sobre una charola para hornear con bordes y mezcle con el aceite de oliva y con una cucharadita de sal. Ase las papas cerca de 50 minutos, hasta que se sientan suaves al picarlas con la punta de un cuchillo.

Usando un cuchillo filoso abra cada papa sin cortar hasta abajo. Abra las mitades con cuidado y espolvoree con un poco de queso Gruyère y sal. Sirva calientes cuando el queso se empiece a derretir.

papas cambray con crème fraîche

....

papas cambray 450 g (1lb)

sal de mar y pimienta molida

crème fraîche ¼ taza

cebollín fresco 2 cucharaditas, cortado finamente con tijera

rinde 4 porciones

En una olla grande sobre fuego alto mezcle las papas con una cucharadita de sal. Agregue agua hasta cubrir por 5 cm (2 in); lleve a ebullición. Tape, reduzca el fuego y deje hervir suavemente de 12 a 15 minutos, hasta que las papas se sientan suaves al picarlas con un cuchillo.

Escurra las papas perfectamente y regrese a la olla vacía hasta que se haya evaporado todo el líquido. Una vez secas, pase a un plato o platón. Usando un tenedor presione cada papa suavemente para aplanarla y abrir la parte superior. Cubra cada papa con un poco de crème fraîche, espolvoree con el cebollín y sazone con sal y pimienta. Pase a un platón y sirva.

La endivia belga en un principio fue cultivada por los antiguos egipcios y hoy en día es especialmente popular en Bélgica y en Francia. Nos encanta su elegancia simple, su textura crujiente y su delicado sabor, que en esta receta viene acompañada con verduras de primavera y un toque cítrico luminoso.

espárragos y endivias asados con habas verdes, naranja y menta

VARIACIÓN

Puede sustituir las habas verdes por chícharos ingleses o las endivias por hinojo asado. También puede usar el asador del horno en vez de la parrilla para cocinar las verduras; sólo tenga cuidado para evitar que se cuezan de más.

ACOMPAÑE CON

Este platillo resulta una guarnición perfecta para cualquier pescado o carne a la parrilla. Acompañe con un vino blanco fresco como puede ser un Sauvignon Blanc o un Pinot Grigio.

Ponga a hervir una olla con tres cuartas partes de agua salada sobre fuego alto. Mientras tanto, prepare un tazón grande con agua con hielos. Blanquee las habas verdes en el agua hirviendo durante un minuto. Escurra y pase al tazón de agua con hielo. Cuando las habas estén frías, retire la piel con sus dedos. Reserve.

Precaliente un asador a temperatura alta y engrase la rejilla con aceite. Acomode los espárragos y rebanadas de endivia sobre la parilla, asegurándose de colocarlos en posición perpendicular a las tiras de la rejilla de manera que no caigan a través de ellas. (También puede usar una rejilla pequeña para asador). Ase de 2 a 3 minutos en total, volteando de vez en cuando, hasta que estén tostadas por todos lados. Acomode en un platón de servicio y sazone generosamente con sal y pimienta.

Con la ayuda de un rallador de cítricos raspe la cáscara de la naranja sobre un tazón. Pele y separe la naranja en gajos (página 250) permitiendo que caigan los gajos y el jugo en el tazón. Agregue el aceite de oliva y, con la ayuda de un tenedor, parta los gajos de naranja en trozos del tamaño de un bocado. Sazone con sal y pimienta.

Esparza las habas verdes y la menta sobre las verduras asadas. Rocíe con el aderezo y sirva de inmediato.

habas verdes 1 ½ kg (3 lb), sin vaina

espárragos delgados 450 g (1 lb), recortados de la base

endivias belgas 2 cabezas, rebanadas longitudinalmente en trozos de 3 mm (⅛ in) de grueso

sal de mar y pimienta molida

naranja 1

aceite de oliva extra virgen ½ taza

hojas de menta fresca ½ taza

rinde 4 porciones

cuatro modos de preparar frituras

frituras de granos de elote fresco

cornmeal o polenta molida en molino de piedra 2 tazas

harina 1 cucharada

bicarbonato de sodio 1 cucharadita

polvo para hornear 1 cucharadita

sal de mar

cebollitas de cambray ⅓ taza, picadas

huevo 1, separado, más 2 claras

buttermilk o yogurt 1½ taza

granos de elote frescos o congelados, previamente descongelados 1 taza

cebollín fresco 1 cucharada, cortado finamente con tijeras

aceite vegetal para fritura profunda

rinde de 4 a 6 porciones

En un tazón mezcle el cornmeal con la harina, bicarbonato, polvo para hornear y una cucharadita de sal hasta integrar por completo. Agregue las cebollitas, yema de huevo y el buttermilk y mezcle hasta integrar por completo. Añada los granos de elote y el cebollín. Usando una batidora eléctrica manual o un batidor globo, bata las claras de huevo a punto de turrón. Integre con la pasta usando movimiento envolvente. Reserve.

Vierta aceite vegetal en una sartén grande hasta obtener una profundidad de aproximadamente 5 cm (2 in) y caliente hasta que un termómetro para fritura profunda registre una temperatura de 160°C (325°F). Trabajando en tandas para evitar encimar, deje caer cucharadas de la mezcla en el aceite y fría de 3 a 5 minutos, hasta dorar. Usando una cuchara ranurada pase a toallas de papel para escurrir. Permita que el aceite vuelva a registrar 160°C (325°F) entre cada tanda. Sirva calientes.

frituras de garbanzo y páprika

garbanzos en lata 1¼ taza

páprika ahumada 1 cucharadita

comino molido ¼ cucharadita

rinde de 4 a 6 porciones

Escurra los garbanzos perfectamente y presione con un tenedor.

Prepare la pasta como se indica *(a la izquierda)* y sustituya los granos de elote por los garbanzos y el cebollín por la páprika y el comino. Fría como se indica.

frituras de calabacita y menta

calabacitas 1½ taza, finamente rebanadas con una mandolina

sal de mar

menta fresca 1 cucharada, picada, más de 8 a 10 hojas para decorar (opcional)

rinde de 4 a 6 porciones

Espolvoree las calabacitas con sal y seque con toallas de papel. Prepare la pasta como se indica *(arriba)* y sustituya los granos de elote por calabacitas y el cebollín por la menta. Fría como se indica.

Si lo desea, agregue las hojas de menta al aceite caliente y fría cerca 30 segundos, hasta que estén crujientes. Escurra brevemente sobre toallas de papel, luego esparza las hojas de menta fritas sobre las frituras.

fritura de brócoli rabe y queso parmesano

brócoli rabe 1½ taza, picado

queso parmesano ½ taza, recién rallado

rinde de 4 a 6 porciones

Ponga a hervir una olla con tres cuartas partes de agua salada sobre fuego alto. Mientras tanto, prepare un tazón grande con agua con hielos. Agregue el brócoli rabe al agua hirviendo y blanquee durante un minuto. Escurra y pase al tazón con agua con hielo, escurra de nuevo y esparza sobre toallas de papel para secar.

Prepare la pasta como se indica *(arriba a la izquierda)* y sustituya los granos de elote por el brócoli rabe blanqueado y añada el queso a la mezcla de cornmeal. Fría como se indica.

cuatro modos de preparar granos

ensalada tibia de farro con hierbas

aceite de oliva extra virgen
4 cucharadas

hoja de laurel 1

romero fresco 1 rama

farro 1 taza

caldo de pollo 2 tazas

sal de mar y pimienta

ralladura y jugo de limón amarillo de 1 limón

cebollín, perifollo, perejil liso y cebollita de cambray frescos
¼ taza de cada uno, picados

estragón fresco 1½ cucharadita, picado

rinde de 4 a 6 porciones

En una sartén grande sobre fuego medio, caliente 2 cucharadas de aceite de oliva. Agregue la hoja de laurel, el romero y el *farro* y cocine, mezclando, durante un minuto. Añada el caldo, 2 tazas de agua, una cucharadita de sal y bastante pimienta. Lleve a ebullición, tape, reduzca el fuego y deje hervir lentamente cerca de 20 minutos, hasta que el *farro* se sienta suave y se haya absorbido el líquido. Retire del fuego y deje enfriar ligeramente.

Deseche la hoja de laurel y el romero y pase el *farro* a un tazón. Agregue el jugo y la ralladura de limón, 2 cucharadas de aceite de oliva, cebollín, perifollo, perejil, cebollita de cambray y el estragón; mezcle para integrar. Pase a un platón de servicio, espolvoree con sal y sirva tibio.

quinua al limón

quinua 1 taza

aceite de oliva extra virgen 4½ cucharaditas

ralladura de limón amarillo 1 cucharadita

jugo de limón amarillo fresco 2 cucharaditas

perejil liso fresco 1 cucharada, picado

piñones ¼ taza

rinde de 4 a 6 porciones

Enjuague la quinua en un tazón con agua fría y escurra en un colador de malla fina. Repita la operación, enjuagando la quinua en el tazón con agua limpia y vuelva a escurrir. Llene una olla con tres cuartas partes de agua salada y lleve a ebullición sobre fuego medio-alto. Añada la quinua y cocine cerca de 20 minutos, sin tapar, hasta que esté suave.

Escurra en un colador de malla fina y pase a un tazón. Integre el aceite de oliva, ralladura y jugo de limón, perejil y piñones. Sirva tibio o a temperatura ambiente.

lentejas con vinagreta de mostaza

lentejas Puy 1 taza, limpias y enjuagadas

cebolla 1, finamente picada

ajo 1 diente, partido a la mitad

tomillo seco ¼ cucharadita

perejil liso fresco 2 ramas más ½ taza finamente picado

chalote 1, finamente picado

vinagre de vino blanco 2 cucharadas

mostaza dijon 4½ cucharaditas

sal de mar y pimienta molida

aceite de oliva extra virgen ¼ taza

rinde de 4 a 6 porciones

En una olla gruesa sobre fuego medio mezcle las lentejas con 6 tazas de agua, cebolla, ajo, tomillo y las ramas de perejil. Lleve a ebullición, tape y cocine cerca de 30 minutos, hasta que las lentejas estén suaves.

Mientras tanto, para preparar la vinagreta, coloque 2 cucharadas del líquido de cocción de las lentejas en un tazón e integre con el chalote, vinagre, mostaza y sal y pimienta al gusto, batiendo. Sin dejar de batir, añada el aceite de oliva en hilo lento y continuo hasta que el aderezo se haya emulsionado.

Escurra las lentejas perfectamente en un colador de malla fina y deseche las ramas de perejil y las mitades de ajo. Pase las lentejas a un tazón, añada la vinagreta y el perejil picado y mezcle para integrar. Sazone al gusto con sal y pimienta y sirva tibio o a temperatura ambiente.

cuscús israelita con albahaca y menta

aceite de oliva extra virgen 2 cucharadas

cebolla morada 1, finamente picada

cuscús israelita 1 taza

ajo 1 diente, finamente picado

perejil liso fresco ½ taza, finamente picado

albahaca fresca ½ taza, finamente picada

menta fresca ⅓ taza, finamente picada

jugo de limón amarillo fresco 1 cucharada o al gusto

sal de mar y pimienta molida

rinde de 4 a 6 porciones

En una olla gruesa sobre fuego medio, caliente una cucharada de aceite de oliva. Añada la cebolla y saltee cerca de 3 minutos, mezclando de vez en cuando, hasta que se dore. Agregue el cuscús y el ajo y cocine, mezclando, durante 30 segundos. Añada agua hasta cubrir (aproximadamente 2 tazas) y lleve a ebullición. Deje hervir suavemente cerca de 15 minutos, hasta que el cuscús esté al dente.

Escurra el cuscús perfectamente en un colador de malla fina y pase a un tazón de servicio. Esponje el cuscús con ayuda de un tenedor e integre el perejil, albahaca, menta, jugo de limón y una cucharada de aceite de oliva. Sazone al gusto con sal y pimienta y sirva tibio o a temperatura ambiente.

El queso *halloumi*, originario de la zona del Mar Mediterráneo, tradicionalmente se prepara con una mezcla de leche de cabra y leche de cordero. Resulta fantástico para asar gracias a que se funde a una temperatura muy alta (el cuajo se calienta antes de darle forma y de poner el queso en salmuera).

queso halloumi asado a la parrilla con higo
y naranja sangría

naranjas sangría 4

hojas de menta fresca ½ taza, troceadas

sal de mar y pimienta molida

higos Mission rojos o negros 6 maduros, cortados longitudinalmente a la mitad

queso *halloumi* 220 g (½ lb), cortado en rebanadas de 1 cm (½ in) de grueso

aceite de oliva extra virgen 1½ cucharadita

rinde de 4 a 6 porciones

Con ayuda de un cuchillo corte los dos extremos de un naranja y coloque verticalmente. Siguiendo el contorno de la fruta retire la cáscara y la membrana blanca. Deteniendo la naranja sobre un tazón corte a los lados de cada gajo para separarlo de la membrana, permitiendo que caigan, junto con el jugo, en un tazón. Repita la operación con las naranjas restantes. Agregue la menta y mezcle. Sazone con sal y pimienta. Reserve.

Caliente a fuego medio una sartén acanalada para asar sobre la estufa. Coloque los higos, con la piel hacia abajo, sobre la sartén y cocine cerca de 2 minutos por cada lado, volteando una sola vez, hasta que empiecen a soltar su jugo. Añada los higos al tazón con las naranjas.

Rocíe las rebanadas de queso con aceite de oliva y coloque sobre la sartén. Ase durante 1 ó 2 minutos por cada lado, volteando una sola vez, hasta que se doren. Añada el queso al tazón de las naranjas. Mezcle todo junto y sirva de inmediato.

VARIACIÓN

Intente asar el queso *halloumi* con otras frutas como duraznos o piña. También puede usar un asador para exterior en vez de una sartén acanalada. Sería útil usar pinchos para brocheta para evitar que el queso se caiga entre las tiras de la rejilla y tener una presentación muy agradable.

ACOMPAÑE CON

Nos encanta servir este platillo con carne asada o con un pan artesanal crujiente, aceitunas y una copa de vino rosado fresco para acompañar una comida tranquila tardía. También resulta muy bueno como entrada.

polenta con elote fresco

sal de mar y pimienta
molida

polenta de grano
grueso 1 taza

granos de elote fresco
1 taza (aproximadamente
de 2 elotes)

aceite de oliva extra
virgen
3 cucharadas

queso parmesano
½ taza, recién rallado

rinde 4 porciones

En una olla grande y gruesa sobre fuego alto lleve a ebullición 4 tazas de agua. Integre una cucharadita de sal y la polenta, batiendo y vertiendo la polenta en hilo lento y continuo para evitar que se formen grumos. Reduzca el fuego a bajo y cocine cerca de 40 minutos, mezclando con frecuencia, hasta que la polenta haya tomado la consistencia de una papilla espesa. Añada más agua si la polenta queda demasiado espesa.

Agregue el elote, cocine de 2 a 3 minutos, añada el aceite de oliva y el queso parmesano y cocine sólo hasta que el queso parmesano se derrita. Sazone al gusto con sal y pimienta. Sirva de inmediato.

puré de raíz de apio

sal de mar y pimienta
blanca molida

raíz de apio 2 grandes,
sin piel y cortadas en
cubos de 5 cm (2 in)

crema espesa ¼ taza

mantequilla sin sal 4
cucharadas, picada en
5 trozos, a temperatura
ambiente

rinde 4 porciones

En una olla grande mezcle 6 tazas de agua con una cucharada de sal. Lleve a ebullición sobre fuego alto, agregue las raíces de apio y vuelva a llevar a ebullición. Cuando suelte el hervor reduzca el fuego y deje hervir lentamente cerca de 20 minutos, hasta que las raíces de apio se sientan suaves al picarlas con un tenedor. Escurra perfectamente.

Pase las raíces de apio a un tazón. Agregue la crema y la mantequilla y, con ayuda de un prensador de papas, presione hasta obtener una mezcla tersa. Sazone con sal y pimienta y sirva de inmediato.

polenta con hongos silvestres

sal de mar y pimienta
molida

polenta de grano
grueso 1 taza

aceite de oliva extra
virgen
2 cucharadas

ajo 1 diente, finamente
picado

tomillo fresco 1
cucharadita, finamente
picado

hongos silvestres 450 g
(1 lb), rebanados

rinde 4 porciones

En una olla grande y gruesa sobre fuego alto lleve a ebullición 4 tazas de agua. Integre una cucharadita de sal y la polenta, batiendo y vertiendo la polenta en hilo lento y continuo para evitar que se formen grumos. Reduzca el fuego a bajo y cocine cerca de 40 minutos, mezclando con frecuencia, hasta que la polenta haya tomado la consistencia de una papilla espesa. Añada más agua si la polenta queda demasiado espesa.

Mientras tanto, en una sartén sobre fuego medio, caliente el aceite de oliva. Agregue el ajo y el tomillo y cocine alrededor de un minuto, mezclando, hasta que aromatice. Añada los hongos cocidos y saltee cerca de 2 minutos más, mezclando, hasta que los hongos estén suaves. Integre los hongos con la polenta, mezcle y cocine de 2 a 3 minutos. Sazone al gusto con sal y pimienta y sirva de inmediato.

puré de pastinaca

pastinacas de 6 a 8
medianas o grandes
(aproximadamente 750
g/1 ½ lb en total), sin piel
y picadas en trozos de 2
½ cm (1 in)

sal de mar y pimienta
molida

mantequilla sin sal 2
cucharadas, a temperatura
ambiente

rinde 4 porciones

En una olla grande mezcle las pastinacas con una cucharada de sal y 6 tazas de agua. Lleve a ebullición sobre fuego medio-alto y cocine de 20 a 25 minutos, hasta que las pastinacas se sientan suaves al picarlas con un tenedor. Escurra perfectamente.

Pase las pastinacas a un procesador de alimentos, añada la mantequilla y procese hasta obtener un puré terso. Pase a un tazón de servicio, sazone al gusto con sal y pimienta y sirva de inmediato.

postres

En los meses de invierno puede resultar difícil encontrar todos los ingredientes frescos que usted desea. Siempre puede congelarlos para tener a la mano cuando los necesite. A nosotros nos encanta congelar las grosellas y utilizarlas como guarnición en los postres, algo adicional para hacerlos más especiales.

cuatro modos de preparar platos de queso

plato de quesos italianos

....

queso de oveja tipo pecorino de 170 a 230 g (6-8 oz)

queso azul tipo Gorgonzola de 170 a 230 g (6-8 oz)

queso triple crema tipo La Tur de 170 a 230 g (6-8 oz)

uvas 1 taza

chabacanos 4, cortados en rebanadas delgadas

almendras Marcona ½ taza

rinde de 4 a 6 porciones

Aproximadamente 2 horas antes de servir, saque los quesos del refrigerador, desenvuelva y permita que reposen para alcanzar la temperatura ambiente. Cuando esté listo para servirlos, acomode los quesos, uvas, rebanadas de chabacano y las almendras en una tabla para picar, tablón de mármol o en uno o varios platones. Incluya un cuchillo para untar con cada uno de los quesos suaves y un cuchillo filoso mondador para los quesos más duros. Ofrezca una canasta con pan o una tabla de madera con rebanadas de baguette, rebanadas delgadas de pan negro o galletas saladas.

plato de quesos de rancho

....

queso de cabra añejo de 170 a 230 g (6-8 oz)

queso de vaca añejo tipo gouda o cheddar de 170 a 230 g (6-8 oz)

queso Gruyère de 170 a 230 g (6-8 oz)

manzanas 2, finamente rebanadas

chutney de chabacano ¼ taza

dátiles ½ taza, sin semilla

pistaches ½ taza

rinde de 4 a 6 porciones

Aproximadamente 2 horas antes de servir, saque los quesos del refrigerador, desenvuelva y permita que reposen para alcanzar la temperatura ambiente. Cuando esté listo para servirlos, acomode los quesos, las rebanadas de manzana, el chutney, los dátiles y los pistaches en una tabla para picar, tablón de mármol o en uno o varios platones. Incluya un cuchillo mondador o una pala de queso. Ofrezca una canasta de pan o una tabla de madera con rebanadas de baguette, rebanadas delgadas de pan negro o galletas saladas.

plato de quesos de cosecha tardía

....

queso azul semisuave tipo azul de Valdeón de 170 a 230 g (6-8 oz)

queso parmesano de 170 a 230 g (6-8 oz)

queso de cabra semiduro tipo Garrotxa de 170 a 230 g (6-8 oz)

higos frescos 6, rebanados en cuartos

panal de miel de abeja 115 g (¼ lb)

nueces ½ taza

rinde 4 a 6 porciones

Aproximadamente 2 horas antes de servir, saque los quesos del refrigerador, desenvuelva y permita que reposen para alcanzar la temperatura ambiente. Cuando esté listo para servir, acomode los quesos, los higos, el panal de miel de abeja y las nueces en una tabla para picar, tablón de mármol o en uno o varios platones. Incluya un cuchillo mondador o una pala de queso. Ofrezca una canasta de pan o una tabla de madera con rebanadas de baguette, rebanadas delgadas de pan negro o galletas saladas.

plato de quesos de invierno

....

queso de cabra con ceniza tipo Humboldt Fog, Valençay o Selles-sur-Cher de 170 a 230 g (6-8 oz)

queso de cabra cremoso tipo crottin de Chavignol de 170 a 230 g (6-8 oz)

queso Manchego de 170 a 230 g (6-8 oz) (opcional)

pera 1, finamente rebanada

mermelada de frambuesa ¼ taza

barra de higo 1, rebanada

avellanas ½ taza, tostadas

rinde de 4 a 6 porciones

Aproximadamente 2 horas antes de servir, saque los quesos del refrigerador, desenvuelva y permita que reposen para alcanzar la temperatura ambiente. Cuando esté listo para servir, acomode los quesos, rebanadas de pera, mermelada, barra de higo y avellanas en una tabla para picar, tablón de mármol o en uno o varios platones. Incluya un cuchillo para untar en cada uno de los quesos suaves y un cuchillo mondador o una pala de queso para los quesos más duros. Ofrezca una canasta con pan o una tabla de madera con rebanadas de baguette, rebanadas delgadas de pan negro o galletas saladas.

Esta tarta es un poco difícil de hacer, pero el resultado amerita el esfuerzo y siempre logra complacer al público. Es esencial utilizar chocolate de la mejor calidad con un alto contenido de cacao. Nuestros favoritos son Valrhona y Scharffen Berger.

tarta de chocolate y caramelo

harina 1¼ taza

polvo de cocoa sin endulzar ¼ taza

mantequilla sin sal 1 taza, en trozos pequeños

azúcar glass ½ taza, más 1 cucharada

yema de huevo 1

extracto de vainilla 1 cucharadita

azúcar granulada 2 tazas

miel clara de maíz ¼ de taza

crema dulce para batir 2 tazas más 2 cucharadas

chocolate semiamargo 285 g (10 oz), picado

fleur de sel para decorar

rinde 8 porciones

Para hacer la pasta, cierna la harina y cocoa juntas hacia un tazón. Usando una batidora eléctrica bata ½ taza de mantequilla con el azúcar glass, yema de huevo y vainilla hasta obtener una consistencia tersa y cremosa. Agregue la mezcla de harina y cocoa y bata hasta que se forme una masa. No trabaje en exceso la masa. Pase a una superficie de trabajo, forme un rectángulo y cubra con plástico adherente. Refrigere la masa por lo menos una hora o durante toda la noche. Una vez fría, extienda con el rodillo sobre una superficie enharinada hasta obtener un rectángulo de 33 x 25 cm (13 x 10 in). Pase a un molde para tarta con base desmontable de 28 x 20 cm (11 x 8 in). Presione la masa en el fondo y lados del molde. Retire el exceso de masa que quede en las orillas y pique la masa en varios lugares con ayuda de un tenedor. Refrigere una vez más, por lo menos durante 30 minutos o hasta una hora. Precaliente el horno a 175°C (350°F). Cubra la masa con papel encerado y rellene con pesas para pay. Hornee de 25 a 30 minutos, hasta que las orillas estén bien cocidas y la base casi cocida por completo y ligeramente quebrada. Retire las pesas de pay y el papel encerado y continúe cocinando cerca de 8 minutos, hasta que la base se encuentre seca y firme. Retire del horno y deje enfriar sobre una rejilla de alambre. Para hacer el relleno de caramelo, mezcle en una olla sobre fuego medio-alto ½ taza de agua con el azúcar granulada y la miel de maíz. Cocine alrededor de 10 minutos, revolviendo ocasionalmente, hasta que el azúcar se convierta en un caramelo de color ámbar profundo. Retire del fuego y cuidadosamente agregue ½ taza más 2 cucharadas de crema (salpicará). Agregue la ½ taza de mantequilla restante, un trozo a la vez, y revuelva hasta dejar tersa. Vierta el relleno de caramelo dentro de la corteza fría, deje enfriar por lo menos durante 30 minutos, hasta que esté firme. Para hacer el ganache de chocolate, ponga el chocolate en un tazón refractario. Hierva 1 ½ taza de la crema y vierta sobre el chocolate. Deje reposar durante 2 minutos y después bata hasta dejar tersa. Vierta sobre el caramelo y refrigere por lo menos durante 30 minutos, hasta que quede firme. Retire la tarta del refrigerador 10 minutos antes de servir. Decore con *fleur de sel*.

ACOMPAÑE CON

Para una combinación verdaderamente exquisita, sirva esta tarta con Helado de Caramelo Fleur de Sel (página 228).

VARIACIONES DEL MOLDE PARA LA TARTA

Nos gusta hacer esta tarta en un molde rectangular, pero también puede hacerla en un molde redondo de 22 cm (9 in) de diámetro. O, si se siente muy atrevido, haga tartaletas dividiendo la pasta, el relleno de caramelo y el ganache entre seis moldes circulares para tartaleta de 11 cm (4 1/2 in) de diámetro con bases desmontables.

cuatro modos de preparar fruta escalfada

duraznos blancos con hierba Luisa

vino rosado seco provenzal
1 botella (750 ml)

hojas de hierba Luisa
10 más hojas y flores para decorar

jugo de limón amarillo fresco
de ½ limón

azúcar ½ taza

duraznos blancos 8, sin piel, partidos a la mitad y deshuesados

rinde 6 porciones

En una olla grande sobre fuego medio-alto mezcle el vino, hierba Luisa, jugo de limón y azúcar. Hierva y mezcle hasta que se disuelva el azúcar. Agregue los duraznos y sumerja en el líquido. Reduzca el fuego y deje cocer a fuego lento aproximadamente 10 minutos, hasta que los duraznos se sientan suaves al picarlos con un cuchillo. Retire del fuego y deje que los duraznos se enfríen en el jarabe. Refrigere hasta el momento de servir.

Para servir, coloque 2 ó 3 mitades de durazno en cada plato pequeño, tazón o copa. Rocíe con un poco del jarabe y decore con la hierba luisa. Sirva de inmediato

ciruelas condimentadas

vino tinto afrutado tipo Pinot Noir 1 botella (750ml)

azúcar 1 taza

clavos 3

anís estrella 3

rajas de canela 2

jengibre fresco 2 rebanadas delgadas

ciruelas rojas 1 kg (2 lb), sin piel ni hueso y partidas en cuartos

Mascarpone de Vainilla (página 215)

rinde 6 porciones

En una olla grande sobre fuego medio-alto mezcle el vino, azúcar, clavos, anís estrella, canela y jengibre. Lleve a ebullición. Cuando suelte el hervor agregue las ciruelas y reduzca el fuego a bajo. Tape y deje cocer a fuego lento de 8 a10 minutos, hasta que las ciruelas se suavicen. Utilizando una cuchara ranurada pase las ciruelas a un tazón y deje enfriar. Sirva en tazones pequeños acompañando con el mascarpone de vainilla.

peras al vino tinto

vino tinto seco 1 botella (750 ml)

azúcar 1 taza

piel de limón amarillo 6 tiras de 2 ½ x 5 cm (6 x 2 in) cada una

anís estrella 1

vaina de vainilla 1, cortada a la mitad

peras Bosc 8 firmes pero maduras, sin piel, partidas a la mitad y descorazonadas

rinde 6 porciones

En una olla grande mezcle el vino, azúcar, piel de limón, anís estrella y una taza de agua. Utilizando la punta de un cuchillo filoso retire las semillas de la vaina de vainilla y agregue a la mezcla de vino. Hierva la mezcla hasta que se disuelva el azúcar. Retire del fuego. Agregue las peras al líquido, acomodándolas con el lado redondo hacia abajo. Lleve a ebullición una vez más y cuando suelte el hervor, reduzca el fuego a bajo y tape. Deje hervir a fuego lento alrededor de 25 minutos, hasta que las peras estén suaves, bañando con el jugo ocasionalmente. Utilizando una cuchara ranurada pase las peras a un tazón. Cuele el líquido de cocimiento a través de un colador de malla fina y deseche los sólidos restantes. Regrese el líquido de cocimiento a la olla. Hierva alrededor de 12 minutos, hasta que se reduzca a una taza. Vierta el jarabe sobre las peras. Deje enfriar por lo menos 3 horas o durante toda la noche antes de servir.

chabacanos en agua de rosas

vaina de vainilla 1, cortada longitudinalmente a la mitad

vino rosado seco 1 botella (750 ml)

azúcar 2 tazas

piel de limón amarillo 5 tiras de 7 ½ x 2 cm (3 x ¾ in) cada una

chabacanos 10, aproximadamente 800 g (1¾ de lb), partidos a la mitad y sin hueso

agua de rosas 1 cucharada

crème fraîche 1 taza

rinde 6 porciones

Utilizando la punta de un cuchillo filoso retire las semillas de la vaina de vainilla sobre una olla con capacidad de 2 litros (2 qt). Agregue la vaina de vainilla, vino, azúcar y piel de limón. Hierva a fuego medio-alto, revolviendo hasta que se disuelva el azúcar. Añada los chabacanos, reduzca el fuego para hervir a fuego bajo y cocine de 2 a 6 minutos dependiendo de su madurez, mezclando una o dos veces, hasta que suavicen. Retire del fuego y agregue el agua de rosas. Utilizando una cuchara ranurada pase los chabacanos a tazones para servir y rocíe con el jarabe. Coloque una cucharada de crème fraîche sobre cada porción y sirva de inmediato.

Hicimos por primera vez esta receta con sobrantes de panettone al día siguiente de Navidad y nos encantó, fue la forma perfecta de utilizar ese esponjoso pan. También pruébelo con croissants rebanados.

budines pequeños de pan y mantequilla

mantequilla sin sal la necesaria, a temperatura ambiente

pan blanco 8 rebanadas pequeñas de 2 ½ cm (1 in) de grueso

uvas pasas doradas (sultanas) ¼ taza

piñones ¼ taza, tostados

leche 1¼ taza

crema dulce para batir ½ taza

azúcar mascabado ½ taza compacta

ralladura de limón amarillo 1 cucharadita

nuez moscada recién rallada 1 pizca

huevos 4, ligeramente batidos

rinde 4 porciones

Engrase generosamente con mantequilla cuatro refractarios pequeños o ramekins de 12 cm (5 in) de diámetro.

Unte el pan con la mantequilla y corte cada rebanada en 8 triángulos pequeños. Coloque 8 triángulos, uno sobre otro en cada refractario, esparza las uvas pasas doradas y los piñones sobre el pan y cubra con otros 8 triángulos de pan.

En un tazón mezcle la leche, crema, azúcar mascabado, ralladura de limón y nuez moscada. Incorpore los huevos batidos. Divida la mezcla entre los refractarios y deje remojar durante 30 minutos. Precaliente el horno a 175°C (350°F). Coloque los refractarios en una charola para hornear con bordes y hornee durante 30 minutos. Aumente la temperatura del horno a 190°C (375°F) y deje hornear los budines durante 10 minutos más, hasta que estén crujientes y dorados por arriba y firmes por dentro. Sirva de inmediato.

VARIACIÓN

Puede variar fácilmente los ingredientes en este sencillo budín de pan. Sustituya las uvas pasas doradas por grosellas o cerezas deshidratadas, o agregue 1/2 taza de chispas de chocolate semiamargo junto con las uvas pasas y los piñones.

ACOMPAÑE CON

Estos budines de pan combinan muy bien con una taza de chocolate blanco caliente (página 235) una combinación perfecta para el clima frío.

donas con tres salsas diferentes para sopear

donas pequeñas de queso ricotta

aceite de canola para fritura profunda

harina ¾ taza

polvo para hornear 2 cucharaditas

ralladura de limón 1 cucharadita

sal ¼ cucharadita

queso ricotta de leche entera 1 taza

huevos 2, ligeramente batidos

azúcar granulada 2 cucharadas

extracto de vainilla 1½ cucharadita

azúcar glass para espolvorear

salsa para sopear de su elección (a su derecha y abajo)

rinde para 24 donas

En una olla grande y gruesa vierta el aceite hasta obtener una profundidad de 4 cm (1 1/2 in) y caliente hasta registrar 175°C (350°F) en un termómetro para fritura profunda.

Mientras tanto, en un tazón bata la harina con el polvo para hornear, ralladura de limón y sal. En un tazón grande mezcle el queso ricotta, huevos, azúcar granulada y extracto de vainilla. Integre la mezcla de harina con la mezcla de ricotta y bata hasta incorporar por completo.

Trabajando en tandas, cuidadosamente deje caer cucharadas de la masa en el aceite caliente y fría alrededor de 3 minutos, volteando ocasionalmente, hasta que se doren. Utilizando una cuchara ranurada, pase las donas a toallas de papel para escurrir. Espolvoree con azúcar glass y acompañe con la salsa para sopear de su elección.

salsa de chocolate blanco

chocolate blanco 4115g (4 oz), toscamente picado

crema dulce para batir ½ taza

rinde aproximadamente ¾ taza

Coloque el chocolate en una olla para baño María o en un tazón grande de metal y coloque sobre el agua hirviendo a fuego lento (pero sin tocar el agua). Caliente, moviendo constantemente, hasta que se derrita el chocolate. Retire del fuego y reserve. En una olla pequeña sobre fuego medio, caliente la crema hasta que esté lo suficientemente caliente pero que no burbujee. Integre la crema caliente con el chocolate derretido, batiendo hasta que adquiera una consistencia tersa. Use de inmediato o cubra y refrigere hasta el momento de usar. Caliente ligeramente a baño María antes de usar.

salsa de chocolate amargo

chocolate amargo 115 g (4 oz), toscamente picado

crema dulce para batir ½ taza

rinde aproximadamente ¾ taza

Coloque el chocolate en una olla para baño María o en un tazón grande de metal y coloque sobre el agua hirviendo a fuego lento (pero sin tocar el agua). Caliente, moviendo constantemente, hasta que se derrita el chocolate. Retire del fuego y reserve. En una olla pequeña sobre fuego medio, caliente la crema hasta que esté lo suficientemente caliente pero que no burbujee. Integre la crema caliente junto con el chocolate, batiendo hasta que adquiera una consistencia tersa. Use de inmediato o cubra y refrigere hasta el momento de usar. Caliente ligeramente a baño María antes de usar.

salsa de caramelo

azúcar ½ taza

mantequilla sin sal 1 cucharada, cortada en trozos pequeños

crema dulce para batir ¼ taza

rinde aproximadamente ¾ taza

Coloque el azúcar en una olla gruesa y agregue el agua necesaria sólo para cubrir el azúcar (debe parecer arena mojada). Coloque sobre fuego medio-alto y cocine de 7 a 10 minutos sin revolver, pero moviendo la olla ocasionalmente para obtener una cocción uniforme, hasta que la mezcla comience a burbujear y las orillas comiencen a tomar un color ámbar. Vigile cuidadosamente para evitar sobre cocinar, continúe cocinando de 3 a 5 minutos más, hasta que la mezcla tome un color ámbar profundo. Retire del fuego y añada cuidadosamente la mantequilla (puede salpicar). Añada la crema cuidadosamente y gire la olla hasta obtener una mezcla uniforme. Utilice de inmediato, o tape y refrigere hasta el momento de usar. Caliente ligeramente a baño María antes de servir.

Los sabores evocadores de los pistaches, cítricos, miel de abeja y menta del Medio Oriente van perfectamente con el queso ricotta. Cuando se combinan crean un postre sutilmente agridulce y un gran final para una platillo sazonado como nuestras brochetas a la parrilla (página 149).

naranjas con queso ricotta fresco y pistaches

naranjas sangría 4

naranjas de preferencia Cara Cara 4

agua de flor de naranja 2 cucharadas

queso ricotta fresco 2 tazas

pistaches ½ taza, picados

miel de abeja ½ taza

menta fresca un manojo, para decorar

rinde 8 porciones

Utilizando un cuchillo corte los polos de cada naranja de manera que se pueda detener verticalmente. Siguiendo el contorno de la fruta, retire la cáscara restante y la corteza blanca con el cuchillo. En un tazón poco profundo corte cada naranja en rodajas de 6 mm (¼ in) de grueso, reservando el jugo que suelte en el tazón. Integre el agua de flor de naranja con el jugo de naranja.

Acomode 5 ó 6 rebanadas de naranja, con su jugo, en un lado de cada uno de los 8 tazones de cristal o platos pequeños. Coloque ¼ taza del queso ricotta en el lado opuesto. Espolvoree con una cucharada de pistaches, rocíe con la miel de abeja, decore con una ramita de menta y sirva de inmediato.

milhojas de fresa

pasta de hojaldre 265 g (1 hoja), descongelada de acuerdo a las instrucciones del paquete

huevo 1, ligeramente batido

fresas 1½ taza, rebanadas finamente

jugo de limón amarillo fresco de ½ limón

azúcar granulada 1 cucharada

crema dulce para batir 1 taza

azúcar glass para espolvorear

rinde 6 porciones

Precaliente el horno a 190°C (375°F). En una superficie ligeramente enharinada extienda la pasta con ayuda de un rodillo hasta obtener un grosor de 6 mm (¼ in). Corte longitudinalmente a la mitad. Pase los dos rectángulos a una charola para hornear con bordes. Pique uniformemente con un tenedor y barnice con el huevo batido. Hornee alrededor de 20 minutos, hasta que esponjen y doren.

Mientras tanto, en un tazón mezcle las fresas, jugo de limón y azúcar hasta incorporar. Reserve. En otro tazón, utilizando un batidor globo, bata la crema hasta formar picos suaves. Usando un cuchillo de sierra rebane un rectángulo horizontalmente para crear 2 capas. Utilice el rectángulo que no ha sido cortado como base. Cubra con la mitad de la crema batida y una tercera parte de las fresas. Repita la operación con los ingredientes restantes para crear 2 capas más, terminando únicamente con fresas. Espolvoree con azúcar glass antes de servir.

tartaletas de mora azul, limón y jengibre

galletas de jengibre 280 g (10 oz) de 30 a 40 galletas, en trozos pequeños

mantequilla sin sal 6 cucharadas, derretida

Curd de Limón (página 219) 1 taza

moras azules 2½ tazas

limón 1

azúcar glass para espolvorear

rinde 4 porciones

Precaliente el horno a 175°C (350°F). En un procesador de alimentos muela las galletas hasta obtener migas finas. Pase a un tazón y agregue la mantequilla derretida. Mezcle hasta que se hayan incorporado totalmente. Presione la mezcla en el fondo y lados de 4 moldes desmontables para tartaletas, cada uno con un diámetro de 12 cm (4 ¾ in). Hornee alrededor de 12 minutos, hasta que las cubiertas estén doradas. Pase a una rejilla de alambre y deje enfriar completamente. Retire las cortezas para tartaletas de los moldes y rellene con el curd de limón. Cubra con las moras azules. Ralle finamente la cáscara del limón y espolvoree sobre las tartaletas. Agregue unas gotas de jugo del limón sobre cada tartaleta. Espolvoree con azúcar glass justo antes de servir.

cerezas con mascarpone de vainilla

· ·

cerezas Rainier 680 g
(1 ½ lb)

queso mascarpone
1 taza

extracto de vainilla 1
cucharadita

azúcar 1 cucharadita

cubos de hielo

**rinde de 4 a 6
porciones**

Coloque las cerezas en un tazón para
servir. En otro tazón mezcle el mascarpone,
extracto de vainilla y azúcar. Pase a un
tazón pequeño para servir. Agregue hielo
al tazón con las cerezas. Sirva la mezcla de
mascarpone a un lado.

surtido de moras con sabayón

· ·

surtido de moras 2
tazas

yemas de huevo 4, a
temperatura ambiente

**ralladura de limón
amarillo** de 1 limón

azúcar granulada
¼ taza más 2 cucharadas

**vino de postre tipo
moscatel** ¾ taza, a
temperatura ambiente

azúcar glass para
espolvorear

rinde 6 porciones

Llene tres cuartas partes de un tazón con
agua con hielo y reserve. Vierta 5 cm (2 in)
de agua en una olla y deje hervir
ligeramente. Mientras tanto, divida las moras
entre 6 refractarios pequeños o ramekins.

En un tazón de acero inoxidable grande
bata las yemas de huevo con la ralladura de
limón y el azúcar alrededor de 2 minutos,
hasta que la mezcla tome un color pálido y
una consistencia ligeramente espesa.
Agregue el vino. Coloque el tazón sobre el
agua hirviendo y bata constantemente
alrededor de 8 minutos, hasta que el
sabayón alcance una consistencia espesa y
haya duplicado su volumen. Inmediatamente
coloque el tazón sobre el agua con hielo.

Precaliente el asador de su horno. Extienda
el sabayón uniformemente sobre las moras.
Coloque los refractarios en una charola para
hornear con borde y ase alrededor de 3
minutos, hasta que el sabayón se dore.
Saque del horno y espolvoree con azúcar
glass. Sirva de inmediato.

Utilizamos estos merengues para hacer un Eton mess, un postre popular en Inglaterra. ¡Es fácil de hacer y divertido de comer! Coloque el merengue en capas sobre un tazón grande y poco profundo junto con crema batida y curd de frutas (página 219). Nuestro favorito es el de maracuyá.

merengues

. . . .

CAMBIE EL SABOR

Mientras disfrutamos la simplicidad y elegancia de estos clásicos merengues tal y como son, a mucha gente le gusta darles otro sabor. Puede incorporar a las claras batidas coco rallado seco tostado o nueces picadas, o bien, sustituir el extracto de vainilla por ralladura cítrica o con una especia como el cardamomo molido. Para un regalo navideño puede espolvorear los merengues con bastones de caramelo en trocitos justo antes de hornearlos.

ACOMPAÑE CON

Los merengues ligeros son el final perfecto para una comida larga y sustanciosa. Son deliciosos si se sirven con fruta fresca rebanada y una taza de té.

Precaliente el horno a 135°C (275°F). Cubra dos charolas para hornear con borde con papel encerado. En una batidora de mesa adaptada con el batidor globo mezcle las claras de huevo, sal y el cremor tártaro y bata a velocidad media hasta que las claras estén opacas y mantengan su forma. Aumente la velocidad a media-alta y agregue el azúcar, una cucharada a la vez. Cuando las claras formen picos firmes y brillantes, incorpore el extracto de vainilla. Para formar cada merengue, coloque 2 cucharadas de las claras batidas en las charolas preparadas. Hornee alrededor de 30 minutos, hasta que se encuentren crujientes pero no dorados. Apague el horno y deje enfriar completamente en el horno. Para servir, acomode los merengues en un platón y espolvoree con azúcar.

claras de huevo 4

sal 1 pizca

cremor tártaro ⅛ cucharadita

azúcar súper fina ¾ taza, más la necesaria para espolvorear

extracto de vainilla 1 cucharadita

rinde de 4 a 6 porciones

cuatro modos de preparar curds de frutas

curd de maracuyá

azúcar ¾ taza

huevos 2 enteros más 4 yemas

mantequilla sin sal ½ taza, fría, partida en trozos pequenos

jugo de maracuyá ½ taza, colado

jugo de limón fresco de 1 limón

semillas de maracuyá de 1 maracuyá

rinde aproximadamente 1½ taza

En un tazón bata el azúcar con los huevos enteros y las yemas. En una olla sobre fuego bajo mezcle la mantequilla con los jugos de maracuyá y de limón. Deje entibiar, moviendo, hasta que se derrita la mantequilla. Agregue la mezcla de huevo a la olla y cocine de 5 a 8 minutos, moviendo constantemente, hasta que espese y cubra el revés de una cuchara de madera.

Retire del fuego y pase el curd a un refractario pequeño. Tape con plástico adherente, presionándolo sobre la superficie del curd y refrigere hasta el momento de servir. Deje alcanzar temperatura ambiente antes de usar. Incorpore las semillas de maracuyá justo antes de servir

curd de limón

azúcar 1 taza

huevos 2 enteros más 4 yemas

mantequilla sin sal ½ taza, fría, picada en trozos pequeños

jugo de limón fresco ½ taza más 2 cucharadas

ralladura de limón 1 cucharadita

rinde aproximadamente 1½ taza

En un tazón bata el azúcar con los huevos enteros y las yemas. En una olla sobre fuego bajo mezcle la mantequilla con el jugo de limón. Deje entibiar, moviendo constantemente mientras se derrite la mantequilla. Agregue la mezcla de huevo a la olla y cocine cerca de 5 minutos, moviendo constantemente hasta que espese y cubra el revés de una cuchara de madera.

Retire del fuego y pase el curd a un refractario pequeño. Tape con plástico adherente, presionando hasta que toque ligeramente la superficie del curd y refrigere hasta el momento de servir. Deje alcanzar temperatura ambiente antes de servir. Incorpore la ralladura justo antes de servir.

curd de limón meyer

azúcar ¾ taza

huevos 2 enteros más 4 yemas

mantequilla sin sal ½ taza, fría, picada en trozos pequeños

jugo de limón Meyer fresco ½ taza más 2 cucharadas

ralladura de limón Meyer 2 cucharaditas

rinde aproximadamente 1½ taza

En un tazón bata el azúcar, huevos enteros y las yemas. En una olla sobre fuego bajo mezcle la mantequilla con el jugo de limón. Deje entibiar y bata mientras se derrite la mantequilla. Agregue a la olla la mezcla de huevo y mueva constantemente hasta espesar y cubrir el revés de una cuchara de madera, cerca de 5 minutos.

Retire del fuego y pase el curd a un refractario pequeño. Tape con plástico adherente, presionándolo hasta que toque ligeramente la superficie del curd y refrigere hasta el momento de servir. Deje alcanzar temperatura ambiente antes de servir. Incorpore la ralladura justo antes de servir.

curd de mandarina

azúcar ¾ taza

huevos 2 enteros más 4 yemas

mantequilla sin sal ½ taza, fría, picada en trozos pequeños

jugo de mandarina fresco ½ taza más 2 cucharadas

ralladura de mandarina 1 cucharadita

rinde aproximadamente 1½ taza

En un tazón bata el azúcar con los huevos enteros y las yemas. En una olla sobre fuego bajo mezcle la mantequilla con el jugo de mandarina. Deje entibiar, batiendo constantemente mientras se derrite la mantequilla. Agregue la mezcla de huevo a la olla y cocine cerca de 5 minutos, moviendo constantemente, hasta espesar y cubrir el revés de una cuchara de madera.

Retire del fuego y pase el curd a un refractario pequeño. Tape con plástico adherente, presionando hasta que toque ligeramente la superficie del curd y refrigere hasta el momento de servir. Deje alcanzar temperatura ambiente antes de servir. Incorpore la ralladura justo antes de servir.

cuatro modos de preparar crumbles de fruta

crumble de zarzamora y manzana

harina 1¾ taza

azúcar 1½ taza

sal de mar fina 1 cucharadita

mantequilla sin sal 1 taza, fría, cortada en cubos de 2 ½ cm (1 in)

hojuelas de avena 1 taza

zarzamoras ½ kg (2 pints)

manzanas 1 ¼ kg (3 lb), sin piel, descorazonadas y rebanadas

Crema de Limón Amarillo (página 224) o crema batida para acompañar (opcional)

rinde de 6 a 8 porciones

Precaliente el horno a 190°C (375°F). Para hacer la cubierta, en un procesador de alimentos mezcle 1 ½ taza de harina, ¾ taza de azúcar y sal hasta que se incorporen. Agregue la mantequilla y pulse hasta que la mezcla parezca migas de pan. Añada las hojuelas de avena y pulse hasta integrar. Pase a un tazón. Para hacer el relleno de frutas, en un tazón mezcle las zarzamoras, manzanas, ¾ taza de azúcar y ¼ taza de harina. Extienda el relleno de fruta en un refractario de 22 x 33 cm (9 x 13 in). Utilizando sus dedos presione la cubierta en migas grandes y esparza sobre la fruta. Hornee alrededor de una hora, hasta que la fruta comience a burbujear y la cubierta esté dorada y crujiente. O, si lo desea, divida la fruta y la cubierta entre 8 refractarios pequeños o ramekins con capacidad de ½ taza y hornee durante 30 minutos. Sirva caliente o a temperatura ambiente acompañando con crema de limón amarillo o crema batida (si lo desea).

crumble de chabacano y frambuesa

cubierta del crumble (izquierda)

chabacanos 1 ¼ kg (3 lb), sin hueso y rebanados

frambuesas ½ kg (2 pints)

azúcar ¾ taza

harina ¼ taza

rinde de 6 a 8 porciones

Prepare la cubierta del crumble como se indica en la receta. Para hacer el relleno de fruta, en un tazón mezcle los chabacanos, frambuesas, azúcar y harina.

Extienda el relleno de fruta en un refractario de 22 x 33 cm (9 x 13 in). Utilizando sus dedos presione la cubierta en migas grandes y esparza sobre la fruta. Hornee alrededor de una hora, hasta que la fruta comience a burbujear y la cubierta esté dorada y crujiente. O, si lo desea, divida la fruta y la cubierta entre 8 refractarios pequeños o ramekins con capacidad de ½ taza y hornee durante 30 minutos. Sirva caliente o a temperatura ambiente.

crumble de ciruela, limón y jengibre

cubierta del crumble
(primera receta página opuesta)

ciruelas 1 ½ kg (3 ½ lb) sin hueso y rebanadas

jengibre cristalizado 1 taza, picado

ralladura de limón de 2 limones

azúcar ¾ taza

harina ¼ taza

helado de vainilla para acompañar (opcional)

rinde de 6 a 8 porciones

Prepare la cubierta del crumble como se indica en la receta. Para hacer el relleno de fruta, en un tazón mezcle las ciruelas, jengibre, ralladura de limón, azúcar y harina.

Extienda el relleno de fruta en un refractario de 22 x 33 cm (9 x 13 in). Utilizando sus dedos presione la cubierta en migas grandes y esparza sobre la fruta. Hornee alrededor de una hora, hasta que la fruta comience a burbujear y la cubierta esté dorada y crujiente. O, si lo desea, divida la fruta y la cubierta entre 8 refractarios pequeños o ramekins con capacidad de ½ taza y hornee durante 30 minutos. Sirva caliente o a temperatura ambiente acompañando con helado de vainilla (si lo desea)

crumble de fresa y ruibarbo

cubierta del crumble
(primer receta página opuesta)

ruibarbo 900 g (2 lb), sin hebras y partido diagonalmente en rebanadas de 1 ½ cm (½ in) de grueso

fresas 1 ¼ kg (4 pints), rebanadas

azúcar ¾ taza

harina ¼ taza

rinde de 6 a 8 porciones

Prepare la cubierta del crumble como se indica en la receta. Para hacer el relleno de fruta, en un tazón mezcle el ruibarbo, fresas, azúcar y harina.

Extienda el relleno de fruta en un refractario de 22 x 33 cm (9 x 13 in). Utilizando sus dedos presione la cubierta en migas grandes y esparza sobre la fruta. Hornee alrededor de una hora, hasta que la fruta comience a burbujear y la cubierta esté dorada y crujiente. O, si lo desea, divida la fruta y la cubierta entre 8 refractarios pequeños o ramekins con capacidad de ½ taza y hornee durante 30 minutos. Sirva caliente o a temperatura ambiente.

granita de champaña rosé

....

azúcar ½ taza

Champaña rosé
1 botella (750 ml)

jugo de limón fresco 1
cucharada

**rinde de 6 a 8
porciones**

En una olla mezcle el azúcar con 1 ½ taza
de agua. Hierva sobre fuego medio-alto,
revolviendo ocasionalmente, hasta que el
azúcar se haya disuelto completamente.
Una vez que vuelva a hervir la mezcla, retire
del fuego y deje enfriar. Cuando la mezcla
se encuentre completamente fría, agregue
el Champaña y el jugo de limón. Vierta
el líquido en un recipiente poco profundo
resistente al frío. Congele durante una hora
y, utilizando un tenedor, rompa y mezcle
los cristales de hielo. Regrese la granita
al congelador hasta que esté firme de 8 a
12 horas, rompiendo y mezclando con un
tenedor ocasionalmente.

Para servir, coloque la granita en vasos
bajos fríos o tazones con ayuda de una
cuchara y sirva de inmediato.

granita de vino sauternes y miel
de limón amarillo

....

miel de abeja 6
cucharadas

Sauternes 1 botella
(750 ml)

**ralladura y jugo de
limón amarillo** de 1
limón

flores comestibles para
decorar (opcional)

**rinde de 6 a 8
porciones**

En una olla mezcle la miel de abeja con
1 ½ taza de agua. Hierva sobre fuego
alto, reduzca el fuego y deje hervir a
fuego lento, moviendo ocasionalmente,
hasta que la miel de abeja se haya
disuelto completamente. Una vez que
vuelva a hervir la mezcla, retire del fuego
y deje enfriar. Cuando la mezcla esté
completamente fría, agregue el Sauternes,
ralladura y jugo de limón.

Vierta el líquido en un recipiente poco
profundo resistente al frío. Congele durante
una hora, utilice un tenedor para romper
y mezclar los cristales de hielo. Regrese la
granita al congelador hasta que esté firme,
de 8 a 12 horas, rompiendo y mezclando
con un tenedor ocasionalmente. Para
servir, usando una cuchara coloque la
granita en vasos bajos fríos o tazones
y sirva de inmediato. Decore con flores
comestibles (si las usa).

granita de espresso

....

azúcar mascabado
½ taza compacta

espresso preparado
4½ tazas, caliente

Frangelico lo necesario
(opcional)

**rinde de 6 a 8
porciones**

En un tazón mezcle el azúcar y el espresso
y revuelva hasta que el azúcar se disuelva.
Deje enfriar completamente, si lo desea,
agregue Frangelico, una cucharada a la
vez, al gusto.

Vierta el líquido en un recipiente poco
profundo resistente al frío. Congele durante
una hora, utilizando un tenedor rompa y
mezcle los cristales de hielo. Regrese la
granita al congelador hasta que esté firme,
de 8 a 12 horas, rompiendo y mezclando
con un tenedor ocasionalmente. Para
servir, coloque con una cuchara la granita
en vasos bajos fríos o tazones y sirva de
inmediato.

granita de vino tinto y naranja

....

azúcar ½ taza

**vino tinto afrutado tipo
Pinot Noir** 1 botella
(750 ml)

jugo de naranja fresco
de 1 naranja

flores comestibles para
decorar (opcional)

**rinde de 6 a 8
porciones**

En una olla mezcle el azúcar con una taza
de agua. Hierva sobre fuego medio-alto,
moviendo ocasionalmente, hasta que el
azúcar se disuelva completamente. Una
vez que vuelva a hervir la mezcla, retire
del fuego y deje enfriar. Cuando la mezcla
esté completamente fría, agregue el vino y
jugo de naranja.

Vierta el líquido en un recipiente poco
profundo resistente al frío. Congele durante
una hora, utilizando un tenedor rompa y
mezcle los cristales de hielo. Regrese la
granita al congelador hasta que esté firme
de 8 a 12 horas, rompiendo y mezclando
con un tenedor ocasionalmente. Para
servir, coloque con una cuchara la granita
en vasos bajos fríos o tazones y sirva de
inmediato. Decore con flores comestibles
(si lo desea).

compota de invierno con tres cremas

compota de invierno

. . . .

vino blanco seco 1
botella (750 ml)

miel de abeja ¼ taza

raja de canela 1

anís estrella 1

peras Bosc 4, sin piel,
descorazonadas y en
rebanadas de 2 ½ cm
(½ in)

manzanas Granny Smith
4, sin piel, descorazonadas
y en rebanadas de 2 ½
cm (½ in)

quinotos (kumquats) 16,
en rebanadas de 3 mm
(⅛ in) de grueso

**higos Kalamata
deshidratados**
450 g (1 lb)
(aproximadamente 16),
rebanados en cuartos

**crema de su elección (a
la derecha y abajo)** para
acompañar

rinde 8 porciones

En una olla grande, sobre fuego medio-alto,
mezcle el vino, miel de abeja, raja de canela
y anís estrella. Deje hervir y revuelva
ocasionalmente para mezclar todos los
ingredientes. Agregue las peras, manzanas,
quinotos e higos. Reduzca el fuego a medio-
bajo y deje cocer de 5 a 7 minutos, hasta
que las manzanas se sientan suaves al
picarlas con un cuchillo. Retire del fuego y
deje enfriar. Retire y deseche la raja de
canela. Refrigere hasta el momento de servir.
Acompañe con la crema de su elección.

crema de limón amarillo

. . . .

**ralladura de limón
Meyer** de 2 limones

azúcar superfina ¼
taza

crema dulce para batir
2 tazas

rinde 8 porciones

Reserve una cucharadita de ralladura de
limón para decorar. En un tazón pequeño
mezcle la ralladura de limón restante y el
azúcar, frotando la ralladura y el azúcar
entre sus dedos para combinar los aceites
del limón con el azúcar. Usando una
batidora de mesa con el aditamento de
batidor globo, bata la crema a velocidad
media-alta hasta que empiece a espesar.
Agregue gradualmente el azúcar de
limón y bata hasta incorporar. Usando
una cuchara pase la crema a un tazón,
espolvoree la ralladura reservada y sirva.

crema de canela

. . . .

crema dulce para batir
2 tazas

azúcar glass ¼ taza

**licor de canela
Goldschlager** 1
cucharada

canela molida 1
cucharadita más la
necesaria para decorar

rinde 8 porciones

Usando una batidora de mesa con el
aditamento de batidor globo, bata la
crema, azúcar, licor de canela y la canela
molida a velocidad alta hasta que la crema
empiece a espesar. Vierta la crema en un
tazón, espolvoree con una pizca de canela
molida y sirva de inmediato.

crema de queso mascarpone y miel de abeja

. . . .

queso mascarpone
2 tazas

miel de abeja 4
cucharadas, más 1
cucharada para rociar

**agua de flor de
naranja** ½ cucharada

rinde 8 porciones

Coloque el queso mascarpone en un
tazón. Integre lentamente 4 cucharadas de
miel de abeja con el queso mascarpone.
Agregue el agua de flor de naranja y bata
hasta incorporar. Coloque en un tazón
pequeño y rocíe con una cucharada de
miel de abeja. Sirva de inmediato.

Nuestra buena amiga Lora Zarubin hace este delicioso pastel para los amantes del jengibre como nosotros. Evite utilizar un jengibre viejo y seco. Busque siempre el más fresco y jugoso que le va a aportar un sabor vivaz.

pastel de cítricos y jengibre con glaseado de licor de naranja

harina 1½ taza

bicarbonato de sodio 1 cucharadita

sal ¼ cucharadita

mantequilla sin sal ½ taza

crema dulce para batir ¼ taza

azúcar mascabado 1 taza compacta

melaza oscura ½ taza

huevos 3

jengibre fresco ⅓ taza, rallado

ralladura de naranja 2 cucharadas

Cointreau ½ taza

ralladura de naranja cristalizada para decorar

rinde 8 porciones

Precaliente el horno 175°C (350°F). Engrase con mantequilla y enharine un molde redondo de 22 cm (9 in) con base desmontable y sacuda el exceso de harina.

En un tazón cierna la harina, bicarbonato y sal. Reserve.

En una olla pequeña sobre fuego bajo mezcle la mantequilla y la crema, caliente lentamente hasta que se derrita la mantequilla. Retire del fuego y reserve.

Utilizando una batidora de mesa con el aditamento de pala, bata ½ taza de azúcar mascabado con la melaza a velocidad media hasta incorporar por completo. Agregue los huevos, uno a la vez, batiendo completamente después de cada adición. A velocidad media-baja, vierta lentamente la mezcla de crema en la mezcla de azúcar y añada la mezcla de harina. Mezcle hasta incorporar por completo. Agregue las ralladuras de jengibre y de naranja.

Vierta la masa en el molde preparado. Hornee de 25 a 30 minutos, hasta que esté bien cocido y que al insertar un palillo de madera en el pastel éste salga limpio. No sobre cocine o el pastel saldrá seco. Retire y levante la orilla del molde, deslice el pastel fuera de la base del molde hacia una rejilla de alambre y deje enfriar completamente.

Pase el pastel a un platón de servicio. Para preparar el glaseado, en una olla pequeña sobre fuego medio combine ½ taza de azúcar mascabado con el Cointreau y caliente, mezclando ocasionalmente hasta que se disuelva el azúcar. Retire del fuego y rocíe la parte superior del pastel con el glaseado. Permita reposar el pastel de 1 a 2 horas. Decore con la ralladura de naranja cristalizada y sirva.

VARIACIÓN

Nosotros hacemos el glaseado con licor de naranja, pero usted puede sustituirlo fácilmente con algún licor de cualquier sabor.

A UN LADO

Húmedo y rico, este pastel es excelente cuando se sirve solo pero pocos invitados rehusarán acompañarlo con una cucharada de helado de vainilla o crema batida.

Delicado y exquisito, éste es el postre soñado de Alison. ¡La sabrosa textura crujiente que le aporta la sal de mar es algo fuera de este mundo! Los caramelos de sal de mar se originaron en Bretaña, Francia, en donde los reposteros utilizaban mantequilla con sal de la localidad para hacer el caramelo y después lo espolvoreaban con un poco de *fleur de sel* de la cosecha local.

helado de caramelo **fleur de sel**

. . . .

ADÓRNELO

Nos gusta servir este helado entre galletas de jengibre o chocolate para crear una versión sofisticada de un sándwich de helado. Coloque una cucharada de helado ligeramente suavizado sobre una galleta, cubra con otra galleta y presione ligeramente para aplanar el helado de manera uniforme. Coloque los sándwiches en el congelador dentro de bolsas de plástico individuales con cierre o dentro de un recipiente para congelar alimentos y congele por lo menos durante una hora antes de servir o hasta por una semana.

En una olla sobre fuego medio-alto mezcle la leche con la crema y lleve a ebullición. Cuando suelte el hervor retire del fuego y reserve. En una olla grande y profunda sobre fuego medio-alto caliente el azúcar alrededor de 5 minutos, hasta que comience a derretirse por las orillas. Continúe cocinando de 3 a 5 minutos más, mezclando con una cuchara de madera, hasta que se haya derretido el azúcar y tome un color ámbar profundo. Cuidadosamente agregue la mantequilla y vierta, por el contorno de la olla, la mezcla de leche y crema reservada en hilo lento y continuo, moviendo constantemente. Reduzca el fuego a medio y continúe cocinando, moviendo cuidadosamente, hasta que el caramelo se haya derretido por completo. Retire la mezcla de caramelo del fuego y reserve.

Llene un tazón con tres cuartas partes de agua con hielo y reserve. En un tazón bata vigorosamente las yemas de huevo con la vainilla alrededor de 2 minutos, hasta que la mezcla tome un color pálido y duplique su volumen. Batiendo constantemente incorpore lentamente el caramelo con la mezcla de huevos, batiendo hasta obtener una consistencia tersa. Regrese la mezcla a la olla y coloque sobre fuego medio. Cocine durante 1 ó 2 minutos, moviendo constantemente con una cuchara de madera, hasta que la natilla esté lo suficientemente espesa para cubrir el revés de la cuchara o hasta que registre 80°C (175°F) en un termómetro para caramelo. No deje hervir. Retire del fuego e inmediatamente vierta la natilla caliente a través de un colador de malla fina colocado sobre un tazón refractario.

Coloque inmediatamente el tazón en el agua con hielos y revuelva la natilla ocasionalmente hasta enfriar. Retire la natilla del baño de agua, tape y refrigere por lo menos 3 horas o durante toda la noche, hasta enfriar por completo.

Vierta la natilla en una máquina para hacer helados y congele de acuerdo a las instrucciones del fabricante. Pase el helado a un recipiente para congelar alimentos y agregue la *fleur de sel*. Coloque un trozo de papel encerado sobre el helado y congele hasta que esté firme, por lo menos 2 horas o hasta por una semana, antes de servir.

leche 4 tazas

crema dulce para batir 2 tazas

azúcar 3 tazas

mantequilla sin sal ½ taza

yemas de huevo 12

extracto de vainilla 2 cucharaditas

fleur de sel 1¼ cucharadita

rinde aproximadamente 2 litros (2 qt)

Alison creció con estas deliciosas mantecadas con glaseado de rosas, mejor conocidas en Inglaterra como pastelitos de hada o mariposa. Hoy en día, los amigos piden estas lindas confituras muy a menudo para baby showers y otras celebraciones.

mantecadas **de rosa y vainilla**

harina 1½ taza

sal 2 pizcas

mantequilla sin sal 1¼ taza, a temperatura ambiente

azúcar granulada ¾ taza

agua de rosas 4½ cucharaditas más 1 cucharada

extracto de vainilla 2½ cucharaditas

huevos 3, batidos ligeramente

azúcar glass 3, tazas, cernida, más la necesaria para espolvorear

colorante vegetal para alimentos color rosa 3 gotas

pistaches 2 cucharadas, finamente picados

rinde 12 mantecadas

Precaliente el horno a 175°C (350°F). Cubra los moldes de una charola para mantecadas con capacillos de papel.

Cierna la harina con una pizca de sal en un tazón pequeño y reserve.

En una batidora de mesa con el aditamento de paleta, bata 3/4 taza de mantequilla con el azúcar granulada a velocidad media-alta hasta que esté ligera y espumosa, bajando lo que se pegue a los lados del tazón conforme sea necesario. Agregue 4 ½ cucharaditas de agua de rosas y 1 ½ cucharadita de extracto de vainilla. A velocidad media, agregue los huevos, uno a la vez, bajando lo que se pegue a los lados del tazón y asegurándose de incorporar por completo cada huevo antes de agregar el siguiente. A velocidad baja, añada gradualmente la mezcla de harina, mezclando sólo hasta incorporar.

Divida la mezcla equitativamente entre los capacillos. Hornee de 15 a 20 minutos, hasta dorar o que al insertar un palillo de madera en el centro de una mantecada éste salga limpio. Deje enfriar completamente sobre una rejilla de alambre.

Mientras se enfrían las mantecadas, haga la crema de mantequilla. En una batidora de mesa con el aditamento de paleta bata ½ taza de mantequilla, 3 tazas de azúcar glass y una pizca de sal hasta obtener una mezcla tersa. Agregue una cucharada de agua de rosas, una cucharadita de extracto de vainilla y unas cuantas gotas de colorante rosa. Coloque la crema de mantequilla en una manga de repostería adaptada con duya de estrella.

Para decorar como pastelitos de hada, utilice un cuchillo mondador pequeño y corte un cono en la punta de cada mantecada. Cada cono debe tener un diámetro de aproximadamente 4 cm (1 ½ in) y una altura de 2 ½ cm (1 in). Corte cada cono longitudinalmente a la mitad. Estas 2 piezas servirán como "alas" para cada pastelito de hada. Decore con la crema de mantequilla el centro y la cubierta de cada mantecada. Inserte las alas en el centro, encajando las puntas en el betún y tornando la parte plana de las alas hacia afuera. Espolvoree las mantecadas con pistaches y azúcar glass y sirva.

VARÍE LA PRESENTACIÓN

Polvos de hada Decore con chispas de azúcar o grageas.

Panqués pequeños Para hacer panqués pequeños utilice 4 moldes pequeños para panqué de 10 x 5 cm (4 x 2 in) engrasados con mantequilla en lugar de los moldes para mantecadas. Agregue 1/2 taza de pistaches picados a la masa antes de verter en los moldes para panqué. Hornee a 160°C (325°F) de 40 a 45 minutos, hasta que al insertar un palillo de madera en el centro de un panqué éste salga limpio. Desmolde los panqués y deje enfriar sobre una rejilla de alambre. Embetune con la crema de mantequilla y decore con pistaches.

Cubierta con rosas Los pastelitos de hada sin alas pueden cubrirse con pequeñas rosas frescas (asegúrese de que no contengan pesticidas) o con pétalos de rosa cristalizados. Envuelva los pastelitos recortando el contorno de una blonda de papel.

Las trufas son fáciles de preparar y pueden almacenarse en el congelador (bien envueltas) hasta por 3 meses. También son divertidas de hacer, ya que se pueden sentar a platicar mientras las ruedan, lo cual puede ser bastante relajante. ¡Escuche la canción de los Beatles "Savoy Truffle" mientras las hace!

trufas de **chocolate**

. . . .

VARÍE EL SABOR

Coco tostado Sustituya el polvo de cocoa por 1/2 taza de ralladura de coco seco tostado.

Azúcar de canela Sustituya el polvo de cocoa por una cucharada de canela molida mezclada con 1/2 taza de azúcar.

Praline Sustituya el polvo de cocoa por 1/2 taza de palanqueta de cacahuate finamente picada.

Pimienta rosa Después de rodar las trufas en el polvo de cocoa, presione suavemente una pizca de pimienta rosa molida sobre cada trufa.

Sal de mar Después de rodar las trufas en el polvo de cocoa presione suavemente una pizca de sal de mar Maldon u otro tipo de sal de mar sobre cada trufa.

En una olla sobre fuego medio-alto caliente la crema hasta que se encuentre bien caliente pero no hierva. Retire del fuego e integre el chocolate y la mantequilla, batiendo hasta que se derritan y la mezcla esté tersa. Agregue el brandy y bata hasta que se forme un suave ganache. Pase a un tazón, tape y refrigere alrededor de una hora, hasta que esté firme.

Cubra con papel encerado una charola para hornear con bordes. Usando una cuchara coloque cucharadas uniformes del ganache frío sobre la charola preparada. Deje entibiar durante 10 minutos. Extienda el polvo de cocoa en un plato. Usando sus manos forme una bola pequeña o una barra pequeña de 3 cm (1 ½ in) de largo con cada cucharada de ganache. Ruede sobre el polvo de cocoa y vuelva a colocar sobre la charola para hornear. Regrese las trufas al refrigerador por lo menos durante 30 minutos hasta que estén firmes. Retire del refrigerador 20 minutos antes de servir.

crema dulce para batir 1 taza

chocolate semiamargo 340g (12 oz), finamente picado

mantequilla sin sal 4 cucharadas, a temperatura ambiente

brandy 1 cucharada

polvo de cocoa sin endulzar ½ taza

rinde 4 docenas de trufas

cuatro modos de preparar chocolate blanco caliente

chocolate blanco malgache

. . . .

chocolate blanco 110 g
(4 oz), picado

extracto de vainilla ½
cucharadita

leche 1¾ taza

crema dulce para batir
¼ taza

anís estrella 3

rinde 4 porciones

Coloque el chocolate y la vainilla en un
tazón refractario. En una olla sobre fuego
medio-alto mezcle la leche, crema y anís
estrella y caliente a fuego lento. Vierta la
mezcla de leche a través de un colador
de malla fina colocado sobre el chocolate
blanco. Bata hasta que el chocolate se
derrita y la mezcla esté tersa. Vierta en
tazas y sirva.

chocolate blanco de cardamomo y clavo

. . . .

chocolate blanco 110 g
(4 oz), picado

extracto de vainilla ½
cucharadita

leche 1¾ taza

crema dulce para batir
¼ taza

raja de canela 1

clavos 4

vainas de cardamomo
3

canela molida para
decorar (opcional)

rinde 4 porciones

Coloque el chocolate y la vainilla en un
tazón refractario. En una olla sobre fuego
medio-alto mezcle la leche, crema, raja de
canela, clavos y cardamomo y caliente
sobre fuego lento. Cuando suelte el hervor
retire del fuego y deje reposar durante 2
minutos. Vierta la mezcla de leche a través
de un colador de malla fina colocado
sobre el chocolate blanco. Bata hasta que
el chocolate se derrita y la mezcla esté
tersa. Vierta en tazas, decore con la
canela molida (si la usa) y sirva.

chocolate blanco marroquí

. . . .

chocolate blanco 110 g
(4 oz), picado

leche 1¾ taza

crema dulce para batir
¼ taza

té de menta 1 bolsa

rinde 4 porciones

Coloque el chocolate blanco en un tazón
refractario. En una olla sobre fuego medio-
alto mezcle la leche con la crema y caliente
sobre fuego lento. Cuando suelte el hervor
retire del fuego, agregue la bolsa de té y
deje reposar durante 2 minutos. Retire la
bolsa de té y vierta la mezcla de leche
sobre el chocolate blanco. Bata hasta que
el chocolate se derrita y la mezcla esté
tersa. Vierta en tazas y sirva.

chocolate blanco de lavanda inglesa

. . . .

flores secas de lavanda
1 cucharada

chocolate blanco 110 g
(4 oz), picado

extracto de vainilla ½
cucharadita

leche 1¾ taza

crema dulce para batir
¼ taza

rinde 4 porciones

Envuelva la lavanda en un trozo de manta
de cielo y amarre tensamente con un cordel
de cocina. Mezcle el chocolate blanco y la
vainilla en un tazón refractario. En una olla
sobre fuego medio-alto mezcle la leche con
la crema y caliente a fuego lento. Cuando
suelte el hervor retire del fuego, agregue la
lavanda y deje remojar durante 2 minutos.
Vierta la mezcla de leche a través de un
colador de malla fina colocado sobre el
chocolate blanco. Bata hasta que el
chocolate se derrita y la mezcla esté tersa.
Vierta en tazas y sirva.

inspiradas en la **primavera**

Tenemos un secreto que nos avergüenza. A veces hacemos una fiesta sólo para que nos ayuden a comer todas las maravillosas y frescas pero excesivas compras que hemos hecho en el mercado de granjeros. No es que la compañía de nuestros amigos no nos parezca suficiente recompensa. Pero en la primavera, con tantas cosechas nuevas que inundan los puestos de mercado, siempre nos excedemos un poco.

FRUTAS

aguacates
casis
ciruelas pasas
fresas
grosellas secas
grosellas rojas
kiwis
limas
limones
limones Mayer
mangos
moras azules
naranja china (kumquats)
naranjas navel
naranjas sangría
papayas
peras
piñas
toronjas
uvas pasas

VERDURAS

acederas
acelgas
alcachofas
apio
berros
brócoli
brócoli
cebollas de primavera
col
coliflor
chalotes
chícharos chinos
chícharos dulces
chícharos ingleses
ejotes
ejotes franceses
endivias
espárragos
espinacas
habas verdes
haricots verts
hierbas de canónigo
hinojo

hongos chanterelle
hongos morilla
hongos shiitake
jícama
lechuga francesa
papas alargadas
(fingerling)
papas cambray
pimientos verdes
poros
rábanos
ruibarbo
verdolagas
zanahorias
zarcillos de chícharo

HIERBAS

borraja
cebollín
cilantro
eneldo
estragón
jengibre
perejil

perifollo
tomillo
tomillo limón

FLORES

chícharos de olor
delfinios
flores de cerezo
iris
jacintos
narciso
peonías
ranúnculo
sauce blanco
tulipanes

inspiradas en el **verano**

El verano es la temporada más gloriosa para la fruta fresca, incluyendo los jitomates, que para nosotros son una fruta. Es difícil *no* lograr unos platillos divinos usando esa esplendorosa, madura y colorida recompensa. Mientras caminamos alegres hacia la playa, nos gusta detenernos en algún puesto de granjeros para después cocinar esa noche lo que hayamos comprado e invitar a los vecinos a cenar.

FRUTA

aguacates
cerezas
ciruelas
ciruelas Pluot
chabacanos
dátiles
duraznos
frambuesas
grosellas negras
higos
jitomates
limones verdes
mangos
mangos verdes
maracuyá
melón cantaloupe
melón verde
moras azules
naranjas Valencia
nectarinas
papayas
piñas
sandías
tomatillos (verdes)
zarzamoras

VERDURAS

acedera
arúgula
berenjenas
calabacitas
calabaza amarilla
chícharos dulces
chiles
ejotes franceses
ejotes italianos (romano)
ejotes verdes
ejotes wax (con manchas)
elotes
flor de calabaza
frijol (borlotti)
hojas de betabel
judías verdes
lechuga
papas
papas alargadas (fingerling)
pepinos
pimientos morrones
pimientos de padrón
quingombó
verdolagas

zanahorias

HIERBAS

ajedrea de jardín
ajo
albahaca
cebollín
cilantro
estragón
jengibre
lavanda
mejorana
menta
orégano
perejil
romero
salvia
tomillo
verbena de limón

FLORES

acenorias
acianas
amapolas
azucenas orientales
boca de dragón
coreopsis
cosmos
crisantemos
delfinios
fresias
girasoles
hortensias
lisianthus
margaritas
margaritas gerberas
mastuerzos
nardos
no me olvides
pensamientos
rosas
zinnias

comida o cena casual
4

PARA EMPEZAR
rábanos con mantequilla y sal de mar, 50

PLATO PRINCIPAL
mejillones a la provenzal, 134

ensalada de lechuga francesa con hierbas frescas, 94

pan crujiente

PARA TERMINAR
merengues, 216

PARA BEBER
vino blanco / Sauvignon Blanc

vino tinto / Sangiovese

comida o cena casual
4

PARA EMPEZAR
plato de quesos de rancho, 202

PLATO PRINCIPAL
sopa de pollo escalfado con limón y espinaca, 85

jitomates horneados lentamente, 179

pan crujiente

PARA TERMINAR
crumble de fresa y ruibarbo, 221

PARA BEBER
vino blanco / Vermentino

vino tinto / Zinfandel

comida o cena casual
6

PARA EMPEZAR
ensalada de camarones y hierbas de canónigo, 63

PLATO PRINCIPAL
pollo rostizado con hierbas de primavera, 145

salsa de vino blanco y estragón, 146

quinua al limón, 192

PARA TERMINAR
granita de espresso, 223

PARA BEBER
vino blanco / Pinot Blanc

vino tinto / Côtes du Rhône

comida o cena casual
8

PARA EMPEZAR
sopa vignole, 82

PLATO PRINCIPAL
salmón horneado, 133

poros asados con salsa romesco, 53

papas cambray con crème fraîche, 187

PARA TERMINAR
tartaletas de mora azul, limón y jengibre, 214

PARA BEBER
vino blanco / Chardonnay

vino tinto / Pinot Noir

---

menús de **primavera**

---

comida o cena elegante
4

PARA EMPEZAR
salmón silvestre con limón y menta, 69

PLATO PRINCIPAL
chuletas de cordero al horno con gremolata, 165

papas fingerling asadas con ajo, 186

ensalada de hierbas de canónigo, verdolagas y cebollitas cambray, 95

PARA TERMINAR
milhojas de fresa, 214

PARA BEBER
aperitivo / bellini de fruta, 37

vino blanco / Burgundy Blanco

vino tinto / Rioja

comida o cena elegante
8

PARA EMPEZAR
sopa fría de chícharo con menta, 86

PLATO PRINCIPAL
lenguado empapelado, 130

pensalada de chícharos y espárragos con aderezo de limón meyer, 110

PARA TERMINAR
donas pequeñas de queso ricotta con salsa de caramelo, 210

PARA BEBER
vino blanco / Chardonnay francés

vino tinto / Cabernet Sauvignon

coctel
8

PARA BEBER
gin fizz con flor de azahar, 22

cosmopolitan blanco de flor de saúco, 26

PARA OFRECER
crostini de haba verde, queso de cabra y menta, 75

coctel de camarones, 62

plato de quesos italianos, 202

coctel
12

PARA BEBER
sangría blanca primaveral, 25

lillet de limón, 17

PARA OFRECER
crudités tzatziki, 49

fritto misto, 60

pan plano con prosciutto y arúgula, 72

comida o cena casual

4

PARA EMPEZAR

pimientos de padrón asados con sal de mar, 46

PLATO PRINCIPAL

brochetas de calamar remojado en salsa de cítricos, 137

ensalada de jitomate, melón y pepitas, 178

frituras de granos de elote fresco, 191

PARA TERMINAR

chabacanos en agua de rosas, 206

PARA BEBER

vino blanco / Sauvignon Blanc

vino tinto / Bordeaux

comida o cena casual

4

PARA EMPEZAR

crostini de aguacate, albahaca y jitomate, 74

PLATO PRINCIPAL

hamburguesas con cebollas a la parrilla y queso gorgonzola, 155

ensalada de arúgula, lechuga y albahaca, 95

PARA TERMINAR

cerezas con mascarpone de vainilla, 215

PARA BEBER

vino blanco / Pinot Gris

vino tinto / Malbec

comida o cena casual

6

PARA EMPEZAR

duraznos, pluot y coppa, 59

PLATO PRINCIPAL

bollos de langosta, 66

ensalada rasurada de pepino, cebolla morada y eneldo, 114

PARA TERMINAR

crumble de chabacano y frambuesa, 220

PARA BEBER

aperitivo / sangría rosada de fruta veraniega, 25

vino blanco / Sancerre

vino tinto / Barbera

comida o cena casual

8

PARA EMPEZAR

higos asados con jamón serrano, 58

PLATO PRINCIPAL

brochetas de pollo a la parrilla, 149

cuscús israelita con albahaca y menta, 192

ensalada de sandía con albahaca morada y queso feta, 93

PARA TERMINAR

mantecadas de rosa y vainilla, 231

PARA BEBER

aperitivo / oporto blanco y agua quina, 17

vino blanco / Pinot Grigio

vino tinto / Beaujolais

---

menús de **verano**

---

comida o cena elegante

4

PARA EMPEZAR

chabacanos asados con prosciutto, 59

PLATO PRINCIPAL

spaghettinni con pesto de limón amarillo y albahaca, 143

abanicos de jitomate heirloom con mozzarella de búfala, 98

PARA TERMINAR

granita de champaña rosé, 222

PARA BEBER

aperitivo / caipiriña de maracuyá, 14

vino blanco / Rioja Blanco

vino tinto / Chianti

comida o cena elegante

8

PARA EMPEZAR

sopa fría de sandía con chile y limón, 86

PLATO PRINCIPAL

callo de hacha a la parrilla con salmoriglio, 136

pan tostado con panzanella, 179

PARA TERMINAR

duraznos escalfados con hierba Luisa, 206

PARA BEBER

vino blanco / Prosecco

vino tinto / Pinot Noir

coctel

8

PARA BEBER

agua fresca de limón y sandía, 18

limonada amalfi, 33

PARA OFRECER

sopa fría de jitomates heirloom con pepino, 87

ceviche de huachinango, 68

tarta de ciruela y queso de cabra, 57

coctel

12

PARA BEBER

agua fresca de papaya y limón, 19

gin fizz de flor de azahar, 22

PARA OFRECER

melón cantaloupe con bresaola, 58

camarones sal y pimienta, 65

brochetas de bocconcini y jitomates miniatura, 98

inspiradas en el **otoño**

....

Ese primer frescor en el aire significa que ha llegado el tiempo de cosechar, y el otoño en el mercado es inconfundible. De pronto aparecen las dulces calabazas de invierno, los vegetales de un intenso verde oscuro, los robustos tubérculos y la última y exquisita explosión de higos y uvas. Todos regresan de los viajes de verano y comienzan de nuevo las festivas reuniones dentro de casa.

....

FRUTA Y NUECES

aceitunas
almendras
arándanos
avellanas
castañas
ciruelas
ciruelas pasas
dátiles
fruta seca
granadas rojas
higos
manzanas
manzanas crab
membrillos
nueces
peras
peras asiáticas
pérsimos
pistaches
uvas

VERDURAS

acederas rojas
acelgas
achicoria
alcachofas
alcachofas de Jerusalén
berenjenas
berros
betabeles
bok choy
brócoli
brócoli rabe
calabaza amarilla
calabazas butternut
calabazas Delicata
cebollas
col
col rizada
chalotes
endivias
escarola
espinacas
hinojo
hojas de berza
hojas de betabel
hongos hedgehog

hongos porcini
hongos shiitake
hongos trumpet
jitomates
lechugas escarolas
lechugas moradas
lechugas rizadas
nabos
nabos blancos
nabos suecos
papas
pastinaca
poros
rábanos picantes
radicchio
trufas
uvas
zanahorias

HIERBAS

ajo
cebollín
cilantro
jengibre
mejorana
orégano

perejil
perifollo
romero
salvia
tomillo

FLORES

amarilis
áster
caléndula
cosmos
crisantemos
dalias
fajos de trigo
girasoles
hidrangeas
hojas de maple dulce
lisiantes
moras ornamentales
rosas y escaramujos
salvia
zinnias

inspiradas en el **invierno**

Puesto que crecimos en Inglaterra, siempre sentimos nostalgia por las
vacaciones de invierno y por nuestras familias y amigos que viven allá.
Hemos traído con nosotros nuestras tradiciones culinarias navideñas y
también nos encanta probar las tradiciones de nuestros amigos. Cuando
el clima afuera está frío y ventoso, el único sitio donde queremos estar es
adentro, alrededor de la mesa con buenos amigos.

FRUTA Y NUECES

aceitunas
arándanos
avellanas
castañas
ciruelas pasas
clementinas
fruta seca
granada china
granadas rojas
limones amarillos
mandarinas
manzanas
naranjas chinas
naranjas navel
naranjas sangría
peras
peras asiáticas
pérsimos
pistaches
plátanos
tangerinas
toronja pomelo
toronjas
uvas pasas

VERDURAS

alcachofas de Jerusalén
apio
berros
betabeles
bok choy
brócoli
brócoli rabe
calabaza amarilla
calabaza Delicata
calabazas butternut
camotes
cebollas
chalotes
chícharos chinos
col
col rizada
colecitas de Bruselas
coliflor
endivias
escarola
hinojo
hojas de berza
hongos deshidratados
nabos
nabos blancos

nabos suecos
papas
poros
rábano picante
raíz de apio

HIERBAS

ajo
cebollín
jengibre
perejil
romero
salvia
tomillo

FLORES

acebo
amapolas de Islandia
amarilis
anémonas
bulbos forzados
camelias
estrellas de Belén
flores de árbol frutal
flores deshidratadas

forsitia
moras ornamentales
narciso blanco
narcisos
piñas de pino
ranúnculos
siempre-verdes
tulipanes

comida o cena casual

4

PARA EMPEZAR
crostini de nectarina y
prosciutto, 74

PLATO PRINCIPAL
brochetas de atún sellado con
pimienta, 137

espinaca con ajonjolí al
jengibre, 173

PARA TERMINAR
ciruelas condimentadas, 206

PARA BEBER
vino blanco / Chardonnay

vino tinto / Cabernet
Sauvignon o Bordeaux

comida o cena casual

4

PARA EMPEZAR
croquetas de hongos
silvestres, 71

PLATO PRINCIPAL
halibut con toronja, perejil y
hinojo, 124

puré de pastinaca, 196

PARA TERMINAR
chocolate blanco malgache,
235

PARA BEBER
vino blanco / Riesling

vino tinto / Rosso di
Montalcino

comida o cena casual

6

PARA EMPEZAR
mejillones con limón
amarillo y cerveza, 134

PLATO PRINCIPAL
filete a la parrilla con
mermelada de jitomate, 156

alubias toscanas cocidas
lentamente, 182

PARA TERMINAR
surtido de moras con sabayón,
215

PARA BEBER
vino blanco / Gewürztraminer
vino tinto / un apimentado
Shiraz

comida o cena casual

8

PARA EMPEZAR
queso halloumi asado a la
parrilla con higo y naranja
sangría, 195

PLATO PRINCIPAL
lomo de cerdo horneado con
pappardelle, 153

coliflor asada con piñones y
uvas pasas, 181

PARA TERMINAR
crumble de ciruela, limón y
jengibre, 221

PARA BEBER
vino blanco / Pinot Grigio

vino tinto / Dolcetto

---

menús de **otoño**

---

comida o cena elegante

4

PARA EMPEZAR
ravioles de calabaza delicata,
54

PLATO PRINCIPAL
pechugas de pato con higos
asados y glaseado balsámico,
162

ensalada tibia de farro con
hierbas, 192

PARA TERMINAR
plato de quesos de cosecha
tardía, 203

PARA BEBER
vino blanco / Viognier

vino tinto / Zinfandel

comida o cena elegante

8

PARA EMPEZAR
ensalada de naranjas asadas,
escarola y almendras, 108

PLATO PRINCIPAL
gnocchi con salsa de hongos
silvestres, 185

ensalada rasurada de calabaza,
menta y queso ricotta salata,
115

PARA TERMINAR
trufas de chocolate con
praline, 232

PARA BEBER
vino blanco / Verdiccio

vino tinto / Pinot Noir

coctel

8

PARA BEBER
sidra de fruta otoñal, 25

toddy caliente con especias, 30

PARA OFRECER
crudités con aderezo de
berenjena asada, 49

pan plano con achicoria y
queso fontina, 72

alcachofas fritas con alioli,
175

coctel

12

PARA BEBER
cosmopolitan blanco de flor
de saúco, 26

pom pom, 21

PARA OFRECER
crostinis de higo, queso
gorgonzola y arúgula, 75

albóndigas españolas con
chorizo y páprika, 77

aceitunas y almendras
marcona

comida o cena casual

4

PARA EMPEZAR

ensalada de endivia con
pérsimos y granada roja, 89

PLATO PRINCIPAL

linguine de mariscos con
poro, hinojo y limón amarillo,
139

pan crujiente

PARA TERMINAR

plato de quesos de invierno,
203

PARA BEBER

vino blanco / Sauvignon Blanc
vino tinto / Sangiovese

ccomida o cena casual

4

PARA EMPEZAR

tarta de pera y queso
gorgonzola, 57

PLATO PRINCIPAL

branzino con limón amarillo
y hierbas, 127

ensalada de achicoria,
espinaca y acedera, 94

PARA TERMINAR

budines pequeños de pan y
mantequilla, 209

PARA BEBER

vino blanco / Arneis

vino tinto / Rioja

comida o cena casual

6

PARA EMPEZAR

ensalada de naranja, menta y
avellanas, 109

PLATO PRINCIPAL

sheperd's pay de costillitas,
158

brócoli asado con ralladura de
naranja y almendras, 181

PARA TERMINAR

pastel de cítricos y jengibre
con glaseado de licor de
naranja, 227

PARA BEBER

vino blanco / Vouvray

vino tinto / Barolo

comida o cena casual

8

PARA EMPEZAR

ensalada de trucha, berros y
manzana, 104

PLATO PRINCIPAL

estofado de chile chipotle, 161
ensalada tibia de calabaza
con menta, 170

PARA TERMINAR

compota de invierno con
crema de canela, 224

PARA BEBER

vino blanco / Semillón

vino tinto / Tempranillo

---

menús de **invierno**

---

comida o cena elegante

4

PARA EMPEZAR

carpaccio de betabel, 90

PLATO PRINCIPAL

lomo glaseado con pera y
tomillo, 152

gratín de achicoria y
radicchio, 176

PARA TERMINAR

peras escalfadas al vino tinto,
206

PARA BEBER

aperitivo / fizz de toronja, 35

vino blanco / Pinot Gris

vino tinto / Merlot

comida o cena elegante

8

PARA EMPEZAR

ensalada de toronja, aguacate y
betabel, 109

PLATO PRINCIPAL

chuletas de cerdo con frijoles
pintos y tomillo, 150

polenta con hongos silvestres,
196

PARA TERMINAR

tarta de chocolate y caramelo,
205

PARA BEBER

vino blanco / Champaña

vino tinto / Pinot Noir

digestivo / toddy caliente
especiado, 30

coctel

8

PARA BEBER

jengibre y más jengibre, 14

clementinas y campari, 21

PARA OFRECER

canapés de cangrejo y pepino,
63

croquetas de jamón y queso
manchego, 71

brochetas de camarón con
lemongrass, 136

coctel

12

PARA BEBER

sangría roja invernal, 25

blush de campaña, 35

PARA OFRECER

tártara de atún con ajonjolí, 69

frituras de brócoli rabe y
queso parmesano, 191

brochetas de cordero con
granada roja, 149

algunos de nuestros acompañamientos favoritos

salsa barbecue al chipotle

chiles chipotles adobados 2

aceite de canola 1 cucharada

cebolla ¼ taza, picada

ajo 1 diente grande, finamente picado

jitomates de lata picados ½ taza

vinagre de vino tinto ¼ taza

azúcar morena clara ¼ taza

salsa inglesa ¼ taza

jugo de naranja 1 cucharada

ralladura de naranja 1½ cucharadita

tomillo fresco ½ cucharadita, picado

pimienta de cayena ½ cucharadita

sal

rinde aproximadamente ¾ taza

Retire las semillas y tallos de los chiles, pique finamente. En una olla pequeña sobre fuego medio caliente el aceite de canola. Añada la cebolla, ajo, chiles y cocine cerca de 4 minutos, mezclando, hasta que aromaticen. Añada los jitomates, vinagre, azúcar, salsa inglesa, jugo y ralladura de naranja, tomillo y pimienta de cayena. Cocine a fuego medio cerca de 20 minutos, revolviendo de vez en cuando, hasta que espese y tome sabor. Sazone al gusto con sal.

mostaza al estragón

mostaza dijon 1 taza

hojas de estragón fresco ½ taza

hojas de perejil liso fresco ½ taza, picadas

rinde aproximadamente 1 taza

En un procesador de alimentos mezcle mostaza, estragón y perejil y procese durante 2 minutos. Pase a un tazón y sirva. (Puede sustituir con las hierbas que quiera).

gremolata

ajo 2 dientes

hojas de perejil liso fresco 2 tazas

ralladura de limón amarillo 1½ cucharada

aceite de oliva extra virgen 2 cucharadas

sal y pimienta molida

rinde aproximadamente 2 tazas

Coloque los dientes de ajo sobre una tabla de picar y presione ligeramente. Pase a un procesador de alimentos. Pique el ajo durante 30 segundos. Añada el perejil y siga picando durante un minuto más. Pase a un tazón de servicio, añada la ralladura de limón, aceite de oliva, sal y pimienta; mezcle hasta integrar. Sirva sobre la carne o a un lado de ella, en especial de ternera, cordero o pescado.

mermelada de jitomate

jitomates 5, de preferencia que hayan madurado en su arbusto

aceite de oliva extra virgen 1 cucharada

cebolla morada ½, finamente rebanada

ajo 2 dientes, finamente rebanados

comino molido ½ cucharadita

cilantro molido ½ cucharadita

jengibre fresco ½ cucharadita, rallado

vinagre de sidra ¼ taza

azúcar ¼ taza

miel de abeja ¼ taza

hoja de laurel 1

sal y pimienta molida

rinde alrededor de 2 tazas

Ponga a hervir agua en una olla grande. Blanquee los jitomates durante un minuto, escurra, retire la piel y las semillas y pique en trozos grandes. Reserve. En una sartén sobre fuego medio, caliente el aceite de oliva. Añada la cebolla, ajo, comino, cilantro y el jengibre y cocine cerca de 5 minutos, revolviendo de vez en cuando, hasta que esté ligeramente caramelizado. Añada el vinagre, azúcar y la miel y deje hervir cerca de 5 minutos, hasta que se reduzca y tome una consistencia de jarabe. Agregue los jitomates y la hoja de laurel. Sazone con sal y pimienta al gusto. Tape y hierva a fuego lento alrededor de una hora, hasta que se haya evaporado la mayor parte del líquido. Pase a un tazón y deje enfriar. Sirva a temperatura ambiente.

salsa de cebolla morada y elote

mazorcas de elote 2, sin hojas

cebolla morada 1, rebanada en rodajas de 3 mm (⅛-in) de grueso

perejil liso fresco 1 taza, toscamente picado

cebollín fresco ½ taza, cortado finamente con tijeras

aceite de oliva extra virgen ¼ taza

vinagre de Champaña 1 cucharada

sal y pimienta molida

rinde aproximadamente 2 tazas

Precaliente un asador a fuego alto y engrase la rejilla con aceite. Ase las mazorcas de elote y las rodajas de cebolla hasta que estén tostadas por todos lados. Desgrane los elotes y coloque los granos en un tazón. Pique la cebolla asada en trozos gruesos y añada al tazón con los elotes. Añada el perejil, cebollín, aceite de oliva y el vinagre, mezcle. Sazone al gusto con sal y pimienta y sirva.

salsa verde española

aceite de oliva extra virgen 1 taza

hojas de perejil liso fresco ½ taza

hojas de menta fresca ½ taza

pan del día anterior 1 rebanada, en trozos

filetes de anchoa 2

ajo 2 dientes

alcaparras 1 cucharadita

ralladura de limón amarillo 1 cucharadita

vinagre de vino blanco ½ cucharada

hojuelas de chile rojo ½ cucharadita, machacadas

sal y pimienta molida

rinde 1½ taza

En un procesador de alimentos mezcle el aceite de oliva, perejil, menta, pan, filetes de anchoa, ajo, alcaparras, ralladura de limón, vinagre y hojuelas de chile rojo. Procese hasta incorporar por completo. Sazone al gusto con sal y pimienta y sirva.

ensalada griega

aceite de oliva extra virgen ½ taza

hojas pequeñas de orégano fresco ¼ taza

ralladura de limón amarillo 1½ cucharadita

jitomates cereza 1½ taza, en mitades

queso feta 1 taza, desmoronado

aceitunas curadas en sal 1 taza

cebolla morada ¼, finamente rebanada

pepino inglés ¼, finamente rebanado

sal y pimienta molida

rinde 4 porciones

En un tazón pequeño bata el aceite de oliva, orégano y ralladura de limón con un batidor globo, hasta incorporar por completo. En un tazón grande para ensalada mezcle los jitomates con el queso feta, aceitunas, cebolla y el pepino.

Vierta el aderezo sobre la ensalada, mezcle hasta integrar y sazone con sal y pimienta al gusto.

crutones

rebanadas de baguette 12, de 3 mm (⅛ in) de grueso

aceite de oliva 1 cucharada

rinde aproximadamente 36 crutones

Precaliente el horno a 180ºC (350ºF). Sobre una charola para hornear con borde acomode las rebanadas de baguette en una sola capa y barnice ligeramente por ambos lados con aceite de oliva. Rompa cada rebanada con las manos en varios trozos pequeños y vuelva a colocar sobre la charola para hornear. Hornee de 6 a 8 minutos en total, volteando una sola vez, hasta que estén dorados. Retire del horno y deje enfriar.

técnicas básicas

alcachofas, recortando: Las alcachofas se empiezan a decolorar cuando se cortan, así que sumérjalas en agua con limón después de recortar, o frote las superficies cortadas con un limón. Usando un cuchillo de sierra recorte 2 ½ cm (1 in) de la parte superior de la alcachofa para eliminar las puntas. Con ayuda de unas tijeras de cocina elimine las puntas que hayan quedado. Arranque las hojas exteriores más pequeñas y duras. Recorte la parte inferior del tallo o corte al ras del tallo, según lo pida la receta. Usando un pelador de verduras retire la capa fibrosa del exterior de los tallos y del sitio en donde se juntan con las hojas. Dependiendo de la receta, parta las alcachofas longitudinalmente a la mitad y retire la parte velluda del centro antes de cocinar.

blanquear o escaldar: Esta técnica se usa para ingredientes que necesitan ser suavizados un poco antes de cocerse, o para cocer algún ingrediente que se vaya a usar como guarnición. Simplemente significa sumergir el alimento en agua caliente por muy poco tiempo (generalmente entre 30 segundos y un minuto), o según se indique en cada receta. Este procedimiento también se usa para desprender la piel de los jitomates o de los duraznos para poder pelarlos con facilidad.

calamares, limpiando: Los calamares enteros son más baratos que los prelavados, pero limpiarlos requiere de un poco de trabajo. Primero retire la cabeza y los tentáculos del cuerpo. Las tripas y la bolsa de tinta deben separarse junto con la cabeza. Introduzca la mano en la bolsa y retire y deseche la púa larga y transparente. Corte los tentáculos de la cabeza justo debajo de los ojos y descarte la cabeza y las tripas. Exprima la punta cortada de los tentáculos para retirar el "pico" redondo de la base y deséchelo. Enjuague los tentáculos y el cuerpo del calamar por fuera y por dentro bajo el chorro de agua fría y despegue la membrana gris que cubre la bolsa.

camarones, desvenando: La vena intestinal del camarón es comestible pero desagradable a la vista. Para retirarla, utilice un cuchillo mondador para hacer una incisión poco profunda a lo largo del dorso del camarón.

Levante la vena con la punta del cuchillo y deséchela. Enjuague el camarón bajo el chorro de agua fría y escurra sobre toallas de papel.

cítricos, preparando ralladura de: La cáscara del limón está llena de aceites sabrosos que le pueden añadir un sabor especial a muchos platillos. Trate de comprar cítricos orgánicos si piensa usar la cáscara, o lave bien la fruta si no es orgánica. Para rallar la cáscara finamente, utilice un rallador manual tipo microplane o uno que esté diseñado especialmente para rallar cítricos. Utilice un pelador de cítricos para obtener tiras finas de cáscara; con un pelador de verduras o un cuchillo mondador puede cortar tiras largas. En cualquier caso, sólo utilice la parte de la cáscara que tiene color y evite la amarga membrana blanca.

cítricos, separando en gajos: Retirar la piel de los cítricos y separar sus gajos con un cuchillo proporciona una agradable presentación a un platillo. Usando un cuchillo para chef corte una rebanada de la parte inferior y superior del cítrico, de manera que se pueda sostener en posición vertical. Siguiendo el contorno de la fruta rebane hacia abajo para retirar la cáscara y toda la membrana blanca. Sosteniendo la fruta sobre un tazón, haga incisiones a lo largo de los dos lados de cada gajo de manera que se desprenda de la membrana y caiga en el tazón. O, si lo pide la receta, rebane la fruta transversalmente.

elotes, desgranando: Si es necesario, corte la punta del lado del tallo de manera que el elote se sostenga en posición vertical. Detenga el elote dentro de un tazón poco profundo y, con la ayuda de un cuchillo para chef, rebane hacia abajo entre los granos y la mazorca, rotando el elote un cuarto de vuelta después de cada corte y reuniendo los granos y sus jugos en el tazón.

frijoles, remojando: Los frijoles secos se deben remojar antes de cocer, pero son mejores que los enlatados para las recetas en las que el frijol se presenta solo. Se pueden remojar por lo menos 4 horas o durante toda la noche (a veces hacemos trampa y sólo los remojamos durante 2 horas). Escoja los frijoles y descarte los que estén deformes así como las piedrecillas y arena que puedan tener. Enjuague y escurra en una coladera y luego coloque en un tazón con agua

hasta cubrir por 5 cm. Remoje, enjuague y escurra completamente antes de cocer.

granadas rojas, desgranando: Para retirar las jugosas semillas de una granada roja, primero llene un tazón grande con agua. Usando un cuchillo de sierra corte una rebanada de la punta de floración, teniendo cuidado de cortar sólo la corteza y no las semillas. Luego haga una ligera incisión a lo largo de la cáscara dividiéndola en cuatro. Jalando del lado de la punta cortada, desgaje la fruta y deje caer los cuartos en el agua. Con la punta de los dedos retire las semillas, las cuales irán cayendo al fondo del tazón, luego saque la cáscara y la membrana que quedan flotando y escurra.

juliana: Este término describe los alimentos, por lo general verduras, carnes y quesos, cortados en tiras largas, angostas y delgadas. Para cortar las hierbas frescas en juliana (también conocida como chiffonade), apile varias hojas, enrolle longitudinalmente para formar un paquete compacto y corte transversalmente en rebanadas delgadas.

licuar: Siempre tenga cuidado al licuar los alimentos calientes, tales como sopas, en la licuadora. No querrá que salpiquen su cocina ni su ropa. Licue en pequeñas cantidades, teniendo cuidado de no llenar demasiado la licuadora. Además, siempre cubra la tapa con un trapo de cocina doblado y sostenga la tapa con fuerza antes de encender la licuadora.

salando el agua: Cuando cocine pasta o granos ponga bastante sal en el agua de cocción. Para un mejor sabor deberá estar muy salada, como agua de mar. Use una cucharada de sal por cada 2 litros de agua.

tostando frutos secos y semillas: Al tostar las semillas (y nueces, que también son semillas) se realza su sabor y les da una apariencia atractiva. Lo puede hacer en el horno a 180°C (350°F) pero nosotros, por lo general, lo hacemos sobre la estufa porque es más rápido. Hay que vigilarlas de cerca y pasarlas a un plato en cuanto estén doradas para detener la cocción. Ponga las nueces o semillas en una sartén limpia sobre fuego medio y mezcle de vez en cuando hasta que doren. Este procedimiento sólo tomará un minuto si se trata de ajonjolí o varios minutos para avellanas o nueces.

glosario

acedera: De la familia del trigo sarraceno, esta ácida y jugosa hoja verde tiene un follaje largo como el de la espinaca y tallos leñosos. Busque la acedera rallada de rojo, un llamativo complemento para la ensalada.

ajonjolí: Estas minúsculas semillas aplanadas se usan para cocinar en todo el mundo (desde hace varios siglos). Nos gusta su sabor anuezado y nos parece una guarnición perfecta para muchos platillos asiáticos. Mezcle ajonjolí blanco y negro para una presentación muy llamativa.

bresaola: Nos encanta el prosciutto y la *coppa*, y la bresaola es parecida, pero es carne de res, en vez de puerco, curada en sal y secada al sol.

chile poblano: Estos chiles grandes y de sabor relativamente suave son perfectos para asar. Rellene con queso y ase para preparar chiles rellenos. Si no los consigue, los chiles Anaheim son un buen sustituto.

col rizada toscana: También conocida como *lacinato* o *cavolo nero*, esta hortaliza de hoja verde oscuro es difícil de conseguir fuera de Italia. Se puede sustituir por col común.

consomé de pollo: Siempre tratamos de tener a la mano un poco de caldo de pollo hecho en casa, pero lo puede sustituir por uno comprado. Busque consomé bajo en sodio ya que le da más control sobre la sazón de un platillo.

coppa: Esta carne italiana curada viene del hombro o del cuello del puerco y generalmente se sirve en rebanadas delgadas junto con otras carnes curadas como prosciutto (jamón curado) y bresaola (carne de res curada).

endivias: La endivia belga, o witloof, de la familia de las achicorias, tiene largos brotes en forma de torpedo. Cuando se desprenden sus hojas, son perfectas para remojar en dips como botana y para mezclar con ensaladas. La endivia rizada, también de la familia de las achicorias, es mucho más grande, tiene hojas angostas y rizadas y se usa principalmente en ensaladas.

escarola: Conocida también como achicoria común, esta ácida hoja verde resulta maravillosa asada o mezclada en ensaladas.

lechuga hoja de roble (oakleaf): Las hojas tiernas y de sabor suave de esta hortaliza verde parecen hojas de roble; de allí su nombre. A veces las hojas tienen una orilla roja, lo cual le añade un bello color a la ensalada.

mandolina: Usamos mucho este utensilio que consiste en una base con varias cuchillas ajustables para rebanar fruta y verduras. Ahorra tiempo y realmente le agrega mucho a la presentación de los platillos. Existen distintos diseños de mandolina e incluyen varias cuchillas entre las que se puede escoger la forma y el grueso que le acomode para el alimento que va a cortar.

mirin: Vino de arroz japonés dulce que se utiliza sólo para cocinar.

panko: Estas delicadas migas de pan japonesas en forma de cristales añaden una textura ligera a los alimentos fritos. Se venden en supermercados bien surtidos y en tiendas especializadas en alimentos asiáticos.

pepinos: No hay nada más refrescante que morder un fresco y crujiente pepino. Los pepinos ingleses (o de invernadero) son más caros que los pepinos comunes de piel encerada, pero tienen la piel más delgada, menos semillas y una pulpa más crujiente. Los pepinos japoneses o persas así como los libaneses, que son más pequeños, son aún más crujientes y de mejor sabor.

pepitas: Semillas de calabaza tostadas y saladas, conocidas como pepitas en América Latina, resultan una botana nutritiva y le agregan un sabor agradable y crujiente a las ensaladas y a otros platillos.

pimientos del piquillo: Tradicionalmente se cultivan en España, en donde se asan, pelan y empacan en frascos o latas. Estos pequeños pimientos agregan un sabor sazonado pero dulce a las salsas y resultan un acompañamiento perfecto para pan plano o para bruschetta. Se pueden sustituir por pimientos rojos en frasco.

queso fresco: Es un queso mexicano de leche de vaca. Es suave y se desmorona, parecido en sabor al queso ricotta o al queso ranchero.

queso mozzarella: Mejor conocido como el que se le añade a la pizza, el queso mozzarella es muy versátil. Cuando es fresco se vende empacado en suero de leche, tiene sabor acidulado y una textura fibrosa. Los *bocconcini* son pequeñas bolas de queso mozzarella fresco, perfectos para preparar brochetas de *caprese*. El *mozzarella di buffala*, fabricado en Italia con leche de búfala es untuoso y cremoso y se considera como el mejor de los quesos mozzarella. El *burrata*, que es mozzarella relleno de crema, tiene sabor a mantequilla y se puede untar con facilidad.

queso ricotta: Queso fresco hecho ya sea con leche de cordero, de cabra o de vaca. Se vende en contenedores de plástico y se puede utilizar tanto en los platillos dulces como en los salados. El *ricotta salata* es un queso suave y blanco de leche de cordero que se madura hasta que está firme. El queso feta es un buen sustituto.

radicchio: Variedad de lechuga achicoria nativa de Italia con hojas salpicadas de marrón y sabor ligeramente amargo. Nos encanta la versatilidad del radicchio: resulta delicioso asado, como ingrediente para pizza o mezclado en la ensalada. El radicchio de Treviso es menos amargo que las demás variedades y parece una endivia belga grande.

ras el hanout: Mezcla aromática de especias que se usan comúnmente en la cocina de África del Norte.

salsa de pescado asiática: Llamada *nouc mam* en Vietnam y *nam pla* en Tailandia, esta salsa de pescado es un condimento salado, muy sazonado. Se usa en pequeñas cantidades para sazonar varios platillos del sudeste de Asia.

salsa Sriracha de chile y ajo: Siempre tenemos una botella de esta deliciosa salsa de esplendoroso color rojo anaranjado. ¡Utilice con precaución ya que es muy picante!

variedades de albahaca: Cuando no especificamos el tipo de albahaca, nos referimos a la típica de color verde (también conocida como albahaca dulce o italiana). Pero existen más de 60 variedades de albahaca. Algunas de nuestras favoritas son la albahaca tai, la albahaca limón, la acidulada albahaca morada y la delicada albahaca de arbusto.

verdolagas: Algunos consideran que las verdolagas son una hierba no comestible, pero nosotros pensamos que estas pequeñas y ligeramente ácidas hojas son un excelente ingrediente para agregar a las ensaladas verdes. Busque esta suculenta verdura comestible en los mercados (o en su propio jardín) en el verano.

índice

WILLIAMS-SONOMA, INC.

Fundador y Vice-presidente Chuck Williams

COCINANDO PARA MIS AMIGOS

Ideado y producido por Weldon Owen Inc.

415 Jackson Street, San Francisco, CA 94111

En colaboración con Williams-Sonoma, Inc.

3250 Van Ness Avenue, San Francisco, CA 94109

Una Producción de Weldon Owen

Derechos registrados © 2008 por Weldon Owen Inc.

y Williams–Sonoma, Inc.

Primera impresión en 2008

10 9 8 7 6 5 4 3 2 1

ISBN 978-607-404-117-0

Importado, publicado y editado por primera vez en México en 2009
por / Imported, published and edited in Mexico in 2009 by:
Advanced Marketing, S. de R. L. de C.V.

Calz. San Francisco Cuautlalpan No. 102 Bodega "D"

Col. San Francisco Cuautlalpan, Naucalpan de Juárez,

Edo. de México, C.P. 53569

Título original / Original Title: Cooking for friends / Cocinando para
mis amigos

Traducción / Translation: Laura Cordera y Concepción O. de Jourdain

Fabricado e impreso en China en Julio 2009 por / Manufactured and
printed in China on July 2009 by: SNP Leefung Printers Ltd.

Jin Ju Guan Li Qu Da Ling Shan Town Dongguan, P.C. 523825, China

WELDON OWEN INC.

Presidente Ejecutivo, Grupo Weldon Owen John Owen
CEO y Presidente Terry Newell
VP Senior, Ventas Internacionales Stuart Laurence
VP, Ventas y Desarrollo de Nuevos Proyectos Amy Kaneko
Director de Finanzas Mark Perrigo

VP y Editor Hannah Rahill
Editor Asociado Amy Marr
Asistente del Editor Julia Nelson

VP y Director Creativo Gaye Allen
Director Asociado de Arte Emma Boys
Diseñador Lauren Charles
Coordinador de Fotografía Meghan Hildebrand

Director de Producción Chris Hemesath
Administrador de Producción Michelle Duggan
Director de Color Teri Bell

RECONOCIMIENTOS

Alison Attenborough y Jamie Kimm desean agradecer a sus adorables
asistentes multifacéticas, Vivian Lui y Lillian Kang; Jessica Boncutter del Bar
Jules; Mary Ellen Weinrib, Lisa Steinmeyer y Aileen Marr por prestarles
maravillosos props; Petrina Tinslay por acompañarlos; Roy Finamore por
sus buenos consejos; Stephen y la revista *Food & Wine* por motivarlos y
darles múltiples oportunidades a través de los años; Jennifer Rubell y Dara
Caponigro de la revista *Domino* por su gran motivación; Aileen Marr,
Grace Marr, Spencer y Boris Lee, Angela Choon, Piers Hanmer y Joe
Maer por comer; todos los miembros de Weldon Owen que se involu-
craron en el proyecto para crear este libro; y a sus papás por motivarlos
y dejarlos escapar a los Estados Unidos sin darles lata. También quieren
agradecer a Niman Ranch por sus deliciosas carnes, criadas de forma
natural; a Chef´s Garden por sus maravillosos productos; Lobster Place (en
el Chelsea Market); y a Penn Community Garden.

Fotografía Petrina Tinslay
Estilistas de Alimentos Alison Attenborough and Jamie Kimm
Asistentes de Estilistas de Alimentos Vivian Lui and Lillian Kang
Estilista de Props Lauren Hunter and Deborah Williams
Asistente de Fotografía Supriya Ruparelia and Erin Richards

Editor Consultor Sarah Putman Clegg and Sharon Silva
Editor de Copias Sharron Wood
Correctores de Estilo Lisa Atwood, Linda Bouchard, and Carolyn Miller
Índice Ken DellaPenta